Baader, Wa...

Nach der Oase Tugurt in der wueste Sahara

Baader, Walter

Nach der Oase Tugurt in der wueste Sahara

Inktank publishing, 2018

www.inktank-publishing.com

ISBN/EAN: 9783750144255

Nach der Oase Tugurt

in der Wüste Sahara

von

Walter Baader.

Basel
Buchdruckerei Kreis, Petersgraben 21
1903

Inhalt.

Von Marseille nach Philippeville.

Viele Jahre sind seit meiner Reise durch Nicaragua
vorüber gegangen und wieder schaue ich, an die
Brüstung eines Dampfers gelehnt, in das Meeresblau
hinunter.

„Uff! —" preßte mein Reisegefährte aus tiefster Brust
hervor, als wir langsam aus dem Hafen von Marseille
abdampften.

„Endlich können wir wieder einmal für einige Wochen
den europäischen Firniß abhäuten und bei den Kindern
der Wüste den natürlichen Menschen, wie er sein soll,
herauskehren; abseits von politischen und kommunalen
Zänkereien, ledernen Ratsverhandlungen, himmelanstreben=
den Stehkrägen und wedelnden Kellnerfräcken!"

„Ne vous y trompez pas", schnarrte plötzlich neben
uns die Stimme eines elsässischen Reben=cultivateurs,
welcher in Paris für die Bearbeitung seiner Rebengelände
bei Bône ein Dutzend ausrangierter Omnibusgäule er=
schachert hatte, wahre Jammergestalten mit Kleiderhacken

an Schultern und Hüften und derart zerschundenen Hals-
und Rückenwirbeln, als ob sie schon der Vivisektion als
Versuchskaninchen gedient hätten.

„Ne vous y trompez pas; Sie finde im Désert die
nämliche Kellner en habits à queue comme à Ainter-
laque un die glichlige Ratsverhandlunge wie derheim;
nur heißt mer se dert Palaver, sunst isch's ginoi s'ganz
gliche."

Dagegen wollte ich nun doch Einsprache erheben,
namentlich fand ich die Gleichstellung einer E. E. Rats-
verhandlung mit einem Negerpalaver einigermaßen un-
ziemlich, als meine Aufmerksamkeit durch den imposanten
Anblick einer vom Winde gepeitschten See von dem Ge-
spräche abgelenkt wurde.

Schon als wir aus der Joliette (den großen Hafen-
bassins von Marseille) abfuhren, hatte sich ein ziemlich
heftiger Nordwester erhoben, der den Gischt da und dort
über das Oberdeck hinweg jagte, wodurch die Zeichnung
eines meiner Reisegefährten, der gerade im Begriffe war,
ein Bild des Hafens in seinem Album zu verewigen, in
eine Waschmalerei verwandelt wurde.

Als wir dann hinaus dampften, zur Rechten das
romantische Château d'Iff — wer hat nicht in seinen
Jugendjahren le comte de Monte Christo von Alexandre
Dumas gelesen? — das Château d'Iff, welches den leicht-
lebigen jungen Mirabeau, die politischen Gefangenen des
Staatsstreiches von Napoléon und der Pariser Commune,
die aufständischen Araber und Kabylen vom Jahre 1871
beherbergt hat, zur Linken den alten Hafen der Phönizier
und auf stolzer Höhe die Marseille dominierende Eglise

Notre Dame de la Garde mit der goldglänzenden heiligen
Jungfrau auf der Kuppel, da wurde der Nordwester
immer stärker und das Meer immer bewegter.

Hatten wir anfänglich Bilder vor Augen, wie sie der
Künstler de Goumois so trefflich wiedergibt, diese langen,
stahlblauen, gleichsam in Kompagniefront daher stürmenden
Wogen, so sollten wir bald an Meister Böcklin erinnert
werden.

Schroff fallen die Ausläufer der Seealpen in das
Meer ab, in ihrer Fortsetzung bis weit in das Meer
hinaus in vereinzelten zackigen Riffen drohend aus den
zischenden und tosenden Wellen heraus starrend.

Wahrhaft imposant war nun dieser Anprall der sich
überstürzenden Wogen an diese Riffe. Mit Donnergetöse
brachen sie sich an den scharfkantigen Felsenmassen; wie
eine Riesengarbe sprizte der Gischt daran empor, öfters
über die höchsten Spitzen hinausschlagend und den ganzen
Block in einen Schaumschleier einhüllend.

Nun strömen die Wogen wieder zurück und wir durch-
laufen die ganze Farbenskala Böcklin'scher Kunst, von
der schneeweißen Schaumkrone, dem gleißend grünlich durch-
schimmernden bis zum dunkelviolettblau sich verlaufenden
Gewässer.

Diese großen dunkelblauen Felder, von milchweißem
Schaum umkreist, bieten unseren Blicken die Zeichnung
eines riesigen Pantherfelles dar, wie sie der Meister in
seinen wogenden Meeresschöpfungen in künstlerisch vollendetem Colorit verewigt hat.

Man denke sich nun noch eine Tritonenfamilie auf der
Spitze des Felsenriffs, umschäumt von dem himmelan

spritzenden Gischt, und man hat das Böcklin'sche Bild vor
Augen, gerade so wie er es geschaffen hat.

Allmählich wurde es jedoch ungemütlicher und die
schönen Bilder, wirkliche und Phantasie, schienen immer
mehr in einem Nebelflor zu zerfließen.

Der Dampfer tanzte auf und nieder; die mit Seewasser
geschwängerte Atmosphäre erzeugte einen unangenehmen
Geschmack auf Lippen und Zunge, so ein Mittelding
zwischen Salzsäure und Hunyadi Janos und ein unbehagliches Gefühl macht den Wunsch rege, irgendwo aussteigen und den Weg lieber zu Fuß fortsetzen zu wollen.

Man hat oft eine Fahrt auf dem mittelländischen
Meere mit einer Spazierfahrt auf einem Schweizersee
verglichen.

Warum nicht gar mit einer Segelfahrt auf einem
Dorfweiher? —

Bei schönem Wetter mag sie ja ähnlich sein; bei
stürmischem jedoch hinkt der Vergleich ganz bedenklich.

Auf dem Vierwaldstättersee gibt es allerdings auch
Stürme und zwar sehr heftige.

Zugestanden; aber dann kann man doch an irgend
einer Station aussteigen, wenn es dem Passagier gar zu
unbehaglich zu Mute wird.

Auf dem Meere aber heißt es: sitzen bleiben! Es wird
ebenso wenig Garantie für das Leben eines Reisenden
übernommen, der partout aussteigen will, wie während
der Fahrt auf der Straßenbahn und ich glaube behaupten
zu dürfen, ohne den christlichen Gefühlen meiner Mit-
menschen zu nahe zu treten, daß nicht einmal Sankt
Petrus bei einem Wellengang, wie ich ihn geschildert habe,

versucht hätte auszusteigen; er wäre noch viel rascher eingesunken, als damals auf dem galiläischen Meere.

Dann hat man auf unseren Schweizer Seen fortwährend das liebliche Landschaftsbild, die grünen Ufer, in welche schmucke Dörfer, zierliche Landhäuser und prächtige Villen eingenistet sind, stolze himmelanstrebende Berge; auf dem mittelländischen Meere jedoch erblickt man nichts als Wasser und immer dasselbe Wasser.

Man ist beständig das Centrum eines mit uns reisenden großen Wasserkreises. —

Doch sieh! Da sind ja auch Berge, busch- und baumbepflanzte grüne Ufer und jetzt auf einem Vorsprung ein blendendes Licht, das wie der Abendstern auf das Meer hinausleuchtet; dann in einer Einbuchtung eine ganze Masse Lichter, die sich wie eine Illumination dem Uferhang entlang ziehen, auf und niedersteigend, bis sie schließlich in einem ganzen Meer von leuchtenden Punkten auslaufen — Philippeville!

Wir setzen Fuß auf afrikanischen Boden. — Obschon nur eine anderthalb tägige Fahrt, war doch das Maß für mich übervoll geworden. —

So war die Hinfahrt; einige Wochen später aber auf der Rückreise bockte das Meer noch viel ärger und der Sturmwind heulte schon mehr eine Janitscharenmusik auf uns arme, elendigliche Vergnügungsreisende herunter. —

Philippeville wurde im Jahre 1838 von Marschall Valée gegründet und trat an die Stelle des 5 Kilometer westlich davon gelegenen ehemaligen arabischen Hafenplatzes Stora, welcher sehr pittoresk am Fuße eines steil ansteigenden immergrünen Berges liegt.

Eingebettet zwischen zwei Anhöhen beherrscht Philippeville den Eingang in das Tal des Safsaf, des kleinen Flußes, der unter dem Namen El Rumel in der berühmten Schlucht gleichen Namens Constantine umfließt.

Vom Hafenplatz aus, an welchem die wenigen Gasthöfe stehen, zieht sich die Hauptstraße über den Talsattel hinweg bis jenseits zum großen Marktplatz, wo die Karawanen lagern. Das linksseitige Trottoir ist von Arkaden überwölbt, welche in der Sommerhitze wohltuenden Schatten spenden. Daselbst befinden sich auch die Kaufläden und Geschäftslokale.

Auf der Höhe der Einsattelung steht die Kirche, vor welcher sich ein mit allen möglichen Tropenpflanzen und Bäumen bestandener quadratischer Platz ausdehnt. Ende Januar prangten da in schönstem grünem Blätterschmuck Kirschlorbeer, Eucalyptus und Palmen; dazwischen war ein sonderbarer starker Baum zu sehen, dessen Stamm ringsum mit 10 bis 20 Centimeter langen Dornen übersäet war.

Das wäre ein Schutz für unsere Obstbäume und würde die Feldhüter entbehrlich machen! Unserer lieben Jugend wäre jedoch damit durchaus nicht gedient.

Ein sehr schöner Spaziergang ist der Weg, der sich längs dem Küstengebirge über dem Meeresufer nach dem Fischerort Stora hinzieht.

An zahlreichen, oft wie Schwalbennester an den Vorsprüngen hängenden Miniaturlandhäuschen der Philippeviller vorbei, wo sie ihre Sommerfrische genießen und dem Sardinenfang obliegen, im prächtigsten Grün blühender Erika- und anderer Büsche, flankiert in langer Reihe von hochstämmigen Fieberbäumen (Eucalypten), schlängelt sich die Straße auf- und nieder, stets wieder herrliche Niederblicke auf das blauleuchtende Meer gewährend, bis nach Stora, welches wie ein altes arabisches Piratennest am Fuße des Berges klebt und nur einen schmalen Küsten= saum zur Ausübung des Fischereigewerbes frei läßt.

Stora wird ausschließlich von Neapolitanern und Sizi= lianern bewohnt, die dort den Sardinenfang im Großen betreiben.

Um auch einen Teil der eigenen Landesangehörigen an diesem Verdienst teilhaftig werden zu lassen, hatte die fran= zösische Regierung bretonische Fischer bewogen, sich hier niederzulassen. Doch das nördliche und das südliche Element harmonierten nicht mit einander; es gab keine richtige Amalgamierung. Im Gegenteil, wie Feuerstein auf Stahl, sprühten bald Funken und des Messerstechens über= drüssig, zogen die Bretonen bald wieder ab in ihre alte Heimat, sodaß Stora heute wieder ein blutreines italie= nisches Fischerstädtchen ist.

Nochmals schwelgten wir während der Rückfahrt im Genuß der prächtigen Natur: Palmen, Fieberbäume, Lor= beerbüsche, Oliven= und Orangenbäume, blühende Erika, alles sah so saftig grün aus, als ob es frisch gewaschen worden wäre und aus dem grünen Laub der Orangen= bäume funkelten goldgelbe Früchte heraus; dazwischen entfaltete sich der gewaltige algerische Cactus und in kleinen Rebgeländen waren fleißige Kabylen an der Arbeit.

Nach Constantine.

In fröhlicher Stimmung in Folge der guten Verpflegung im Gasthofe und des herrlichen Frühlingssonnen-
scheines fuhren wir am 28. Januar nachmittags 3 Uhr
von Philippeville ab nach Constantine.

Die Fahrt dauert ungefähr 3¹/₂ Stunden und bietet
wenig Interessantes. Kahle Gebirgszüge säumen die weite
fruchtbare, zu dieser Jahreszeit jedoch nur spärlich bewachsene
Ebene des Safsaf ein, die wir nun durchfuhren.

Allmählich steigt man an der rechtsseitigen Berglehne
empor bis zu der auf der Wasserscheide liegenden 800 Meter
hohen Station Col des Oliviers.

Von Olivenbäumen aber erblickten wir keine Spur
und von dem ca. 3000 Einwohner zählenden Ort außer
dem Stationsgebäude kein Haus und keine Hütte. Aehn-
lich verhielt es sich mit sämtlichen Stationen, an welchen
wir vorüber gefahren waren; nur das Stationshäuschen
war sichtbar, sonst nichts.

Es erinnerte mich das an das Scherzrätsel, einen an
einem Berge eine große Schaafherde weidenden Schäfer
mitsamt seinem Hund mit einem einzigen Strich zu zeichnen.

Man zeichnet eine Bogenlinie; das ist der Berg und
alles Übrige liegt dahinter.

So befanden sich auch alle zu den Stationen gehörigen
Ortschaften, Gemeinden von etlichen Tausend Einwohnern,
jenseits des Berges; für den Reisenden absolut unsichtbar.

In Col des Oliviers hatten wir die Höhe des nach
Philippeville sich ziehenden Gebirgsrückens erstiegen und
erblickten nun plötzlich an der rechtsseitig gegenüber sich

parallel erhebenden Berglehne einen in gleicher Richtung wie wir dahin fahrenden Eisenbahnzug. Verwundert fragten wir uns, woher denn dieser Zug kommen könne, der ebenfalls Constantine zuzustreben schien. Das Rätsel löste sich aber bald, als wir sahen, wie derselbe weiter hinten in großer Kurve uns entgegenfuhr.

Es war der Zug von Constantine und wir hatten dieselbe Berglehne zu umfahren.

Noch drei Tunnel und ebenso viele Stationen und plötzlich steht die Bergfeste Constantine auf einem gewaltigen Felsenmassiv uns gegenüber.

Wir halten vor der Felsschlucht El Kumel. Der Gasthofomnibus fährt uns über die 127 1/2 Meter lange in einem kühnen Bogen über die tiefe Schlucht geschlagene Brücke, die schön angelegte etwas steil ansteigende Rue Nationale hinan zum Grand Hôtel, welches an einer Ecke des Hauptplatzes steht.

Hier war nun ächt orientalisches Leben.

In weiße Burnus gehüllt, die Kapuzze über den Kopf gezogen, oder auch nur in lange Hemden gekleidet, standen die Eingeborenen herum oder hockten auf der breiten Vortreppe der geräumigen Markthalle.

Constantine erinnert in seiner Lage sehr an die Stadt Bern. Auf allen Seiten von schroff abfallenden Felswänden begrenzt, ist es nur an der Südwestecke über eine schmale Einsattelung zugänglich, die von der jenseitigen Anhöhe ziemlich steil hinunter und dann in mäßigen Steigung zum Hauptplatz hinan führt.

Von dort aus geschah auch der Angriff der Franzosen im Jahre 1837 unter General Damrémont mit 4 Briga-

den von zusammen 10000 Mann. Dieser Angriff endigte
mit der Einnahme von Constantine, nachdem eine 1836
unter General Clauzel geführte Expedition zum Rückzug
genötigt worden war.

Bataillonschef Changarnier rettete damals die Armee
durch ein vorzüglich geleitetes Arrièregardengefecht.
General Damrémont selbst mußte den Fall von
Constantine mit seinem Leben bezahlen.

Als er auf die Aufforderung zur Übergabe die stolze
Antwort erhalten hatte, erst mit der Vernichtung des
letzten Verteidigers werde man Herr von Constantine sein,
bereitete er den Sturmangriff vor, indem er eine Batterie
vorrücken ließ, um Bresche zu schießen. Neben dieser
Batterie wurde er bei Recognoscierung der Bresche durch
eine Kanonenkugel getötet. An seiner Seite fiel General
Perrégaux und Oberst Combes, der von 2 Gewehrkugeln
getroffen worden war, konnte dem ebenfalls eine Brigade
kommandierenden Herzog von Nemours noch die Nachricht
von der Erstürmung überbringen und erlag dann seinen
Wunden den Tag darauf.

Der Rest der Verteidiger, bestehend aus einigen hundert
Mann, war in die Kasba, der Citadelle auf dem höchsten
Punkt der Stadt, zurückgedrängt worden. Dort wollten sie
sich vermittelst Seilen in die schaurige Schlucht hinunter
lassen; dieselben rissen jedoch unter dem Gewicht der daran
hängenden Menschen und Alle stürzten in die fürchterliche
Tiefe.

So ging die Antwort des stolzen Pascha in Erfüllung.
Ihm selbst gelang es noch im letzten Augenblick in die
südlichen Gebirge zu entkommen.

Diese Schlucht, welche man in Form und Gestaltung
mit der Aareschlucht bei Meiringen vergleichen kann,
nur daß sie wilder, pittoresker und gewaltiger in den
Dimensionen ist, umgürtet die langgestreckte Ost= und die
etwas kürzere Nordseite der Stadt in einer Länge von
2 Kilometer. Auf der Westseite ziehen sich die senkrechten
Felswände von der Kasba bis zu der schon erwähnten
Einsattelung hin und man genießt von dem hohen Stand=
punkt dieser Westseite aus ein herrliches Panorama über
die tief unter uns sich erstreckende fruchtbare, in ihrer
Abwechslung einem großen Garten gleichende Ebene bis
zu den felsigen Gebirgszügen des Atlas und des Aurès.

Um keine Zeit zu verlieren, statteten wir noch am
Abend unserer Ankunft dem Eingeborenenviertel, das sich
gleich hinter dem Gasthof und der Markthalle in steilem
Abfalle bis zur oberen Kante der Schlucht hinunter zieht,
einen Besuch ab.

Die engen Gäßchen winden sich zwischen den mit aus=
gestreckten Armen beidseits erreichbaren weißgetünchten
Häuser steil abwärts, hie und da unterbrochen von etwas
breiteren Quergassen, in welchen die Kaufleute und Gewerbe=
treibenden, unter Letzteren namentlich auch die Fabrikanten
von feinen Ölen: Rosen=, Nelken=, Jasminöl 2c., geschäftig sind.

Arabische Schneider, Schuster, Sattler, Klempner treiben
da ihr Handwerk in Lokalen, nicht geräumiger als ein
Hühnerhaus; fünf Schmiede oder Schlosser hämmerten und
feilten in einem Loche, das mit einem Hundshaus ver=
zweifelt Ähnlichkeit hatte.

Unter einem finsteren Gewölbe hielten alte Gemüse=
händler in Höhlen, die ihnen weder gestatteten aufrecht

zu stehen, noch die Beine auszustrecken, ihre zweifelhafte Ware feil.

Gäßchen auf und Gäßchen ab wogte es unaufhörlich bis Mitternacht; aus den arabischen Cafés tönte arabische Musik, die kreischende Fiedel, die schreiende Clarinette und die monotone Handtrommel; dazwischen in unregelmäßigen Intervallen, je nach Belieben des Sängers, näselnder arabischer Sang.

Unter den Portalen, auf den Stufen der Innentreppen und in den Vorzimmerchen, welche durch ein mit Holz= gitter versehenem Loch den Einblick gestatteten, kauerten geschminkte Araberinnen und Berberweiber aller Schattier= ungen bis zur ebenholzschwarzen Negerin, welche den Wanderer mit freundlicher Geberde zu einer Tasse mau= rischem Kaffee einluden.

Langsam stiegen Turcopatrouillen die Gäßchen hinan, um in Verbindung mit französischen Polizeiagenten die Ordnung aufrecht zu halten und für die öffentliche Sicher= heit zu sorgen.

„Ich möchte es einem gut gekleideten Europäer oder Eingeborenen nicht raten, Nachts nach 12 Uhr durch diese Gäßchen zu spazieren,“ meinte ein Polizeiagent; „es ist schon Mancher erstochen und ausgeraubt worden.“

Bezeichnend für die Landessitten war es, wie bis tief in die Nacht hinein in diesen Gäßchen ganze Familien längs den Häusern auf dem Boden hockten, eingehüllt bis über den Kopf in ihre Burnus.

Beinahe wäre ich über etwas gestolpert, das wie ein Maulwurfshaufen aussah. Es war das Jüngste von einer Familienkette, die sich bis in die Mitte des Gäßchens erstreckte. Der kleine Knirps hockte so ungeniert, in der Achse des Gäßchens, als ob er das größte Recht dazu hätte, so daß alle Passanten sich um ihn herum schlängeln mußten und dann ging es aufwärts von Brüderchen zu Bruder bis zum Familienoberhaupt, alle die Kapuzze über die Ohren gezogen, eine Reihe von Gnomen, die zu nächtlicher Stunde an die Oberwelt gestiegen zu sein schienen, um Luft zu schnappen und sich das Treiben der Menschen zu betrachten.

Einen eigenartig komischen Anblick bot es auch, wenn in den breiteren Hauptstraßen der Stadt ein halbes Dutzend dieser zuckerstockhohen Erdmännchen, in weiße Burnus gehüllt, die Kapuzze kühn himmelanstrebend, die weißen Ärmchen gegenseitig um den Nacken geschlungen, in ihren Schlappen in einer Reihe daher schlürften, währenddem die durchweg gleich gekleideten Alten in beschaulicher Ruhe vor den Häusern, an den Straßenrändern oder in den maurischen Kaffeelokalen kauerten.

Wir betraten ebenfalls ein arabisches Kaffee und wurden sehr freundlich empfangen. Die arabischen Gäste machten uns in zuvorkommender Weise auf einer Bank Platz, währenddem sie selber auf Matten lang ausgestreckt dem dolce far niente huldigten oder mit unterschlagenen Beinen Damenbrett spielten.

Der auf maurische Art am Kohlenfeuer zubereitete Kaffee schmeckte auch ohne Cichorienzutat sehr gut und kostete blos 10 Centimes die Tasse.

Bei uns zu Haus zahlt man mehr, aber dann allerdings inklusive Cichorie. —

Einen hübschen Anblick gewähren ein Bataillon Zuaven oder Turcos, wenn sie in ihrer kleidsamen orientalischen Tracht bei dem Klang der Clairons elastischen Schrittes daher marschieren und an unsere ehemaligen militärischen Familientage auf der Schützenmatte erinnert es dann, wenn beim Einrücken in die Kaserne der Eine oder Andere der braunen afrikanischen Krieger seinen kleinen Burnus= jungen an der Hand führt, welcher stramm mitmarschiert. Wie mancher arme arabische Familienvater wird Soldat, um des kleinen Soldes willen, womit er seine Familie ernährt und im Kriege sind sie dann die grimmigen Wüstenlöwen, vor welchen man im Jahre 1870 so furcht= bar Angst hatte.

Wer nach Constantine kommt, darf zwei Besuche nicht unterlassen: erstens den Palast des letzten Bey Hadji Achmed und zweitens die Schlucht des Rumel.

In Ersterem ist allerdings nicht mehr viel Interessantes zu sehen, aber die ganze Anlage gibt Einem so recht das Bild des zurückgezogenen, ganz nur in der inneren Häus= lichkeit sich abspielenden Lebens der vornehmen Araber.

Weitaus die meiste Zeit der Lebenstätigkeit und des Daseinsgenusses scheint sich mehr oder weniger in den inneren Höfen der Gebäulichkeiten abgewickelt zu haben und in der Tat kann man sich auch keinen idyllischeren, beschaulicher Ruhe geweihten Ort denken, als den jeden= falls vom Bey seiner Zeit bevorzugtesten der vier Innen= höfe des Palastes.

Der Fußboden der breiten Arkaden, in die wir durch ein nichts weniger als imposantes Portal treten, ist mit Ziegelsteinen gepflastert und die Wände sind mit farbigen

maurischen Porzellanplättchen belegt, soweit sie nicht mit
Fresken, auf die ich später noch zu sprechen kommen
werde, bemalt sind. Gestützt werden diese Arkaden nach
der Gartenseite hin von gewundenen Säulen, jede von
der Anderen verschieden im Styl, was die sonstige Monotonie der Gesamtanlage in lebhafter Weise unterbricht.
Diese Säulen, wie auch anderes Baumaterial, sind von
Carthago's Ruinen hergeschleppt worden.

Hoch oben in einer Ecke ist eine kleine Loggia angebracht, in welcher das Orchester des Bey spielte, während
dieser selbst in einer unterhalb in der Mauer angebrachten
Nische, auf einer mit weichen Pfühlen belegten Steinbank
zuhorchte und dazu sein Nargileh rauchte und seinen
Mokka schlürfte.

Einige alte Kanönchen sind dort aufgestellt und lassen
es erklärlich finden, daß die französischen Batterieen die
maurische Artillerie bald niederschmettern mußten. Sie
sind jedenfalls mehr Merkwürdigkeit, als Waffe.

Die Arkaden schließen ein Gartenquadrat ein, das, nur
mit niederen Sträuchen und Blumen bewachsen, am meisten
Aehnlichkeit mit einem abgeschlossenen Klostergarten hat;
wie denn überhaupt die ganze Anlage mehr einem Kloster
als einem fürstlichen Palaste gleicht.

Und nun zu den Fresken, welche die Wände der Arkaden schmücken.

Hadji Achmed, der letzte Bey von Constantine, wollte
diese Arkaden wahrscheinlich nach altrömischer Art mit
Fresken ausschmücken lassen oder er hatte schon etwas
von abendländischer Malkunst vernommen. Wie dem auch

2

fei, er befahl einem Sklaven, feines Zeichens früher
Schuster in Frankreich, die Wände zu bemalen.

Auf die Ausrede, er fei feines Berufes Schuster und
verstehe wohl mit Draht und Pech, aber nicht mit Pinfel
und Farben umzugehen, erhielt er den kategorischen Be-
fcheid: „Du bift eine Rumi (Franke) und kannft folglich
Alles. Entweder Du malft oder Du verlierft den Kopf!"
Der ci-devant cordonnier zog es vor den Kopf zu behalten
und zu malen.

Sieben Jahre brauchte er, bis er eine Wand mit
einem Bombardement von Algier, eine Andere mit der
Stadt Cairo und eine Dritte mit Stambul bemalt hatte;
dazwischen wuchfen verfchiedene Palmenforten und tropifche
Gewächfe in allen Formen und Farben empor, allerdings
in einem Farbenreichtum, einer Perfpektive und Formen-
fchönheit, wie man fie vergeblich auf diefe sujets ange-
wandt in der Natur fuchen würde.

Das Gemälde von Algier ftellt die Stadt dar, wie fie
fich amphitheatralifch aufbaut. Dem ganzen Ufer entlang
etagenförmig Reihen von Feuerfchlünden, Rohr an Rohr,
welche auf die bie Stadt befchießenden Kriegsfchiffe und
Kanonenbote Feuer fpeien, das natürlich von Letzteren auf
das Furchtbarfte erwidert wird. Auf jedem Kanonenboot
fteht ein Ungetüm von einer Kanone, weit größer als das
Boot felbft, über das fie hinten und vornen herausragt.
Die Kanonade von den Feftungsgefchützen aus muß für
die Schiffe nichts Beängftigendes haben, denn fie liegen
ruhig vor Anker, wie die bis auf den Meeresgrund fichtbaren Ankerketten und Anker beweifen.

So grotesk diese Malerei ist, so ist sie mindestens ebenso verständlich und koloristisch nicht weniger störend und vielleicht ebenso annehmbar, als manche der hochmodernen ultraimpressionistisch barocken Künsteleien.

Übrigens behielt der Schuster seinen Kopf und das ist die Hauptsache, und daß er obendrein noch seine Freiheit erhielt, war immerhin ein Beweis, daß seine Kunst den Bey hoch befriedigte.

Die andern drei Höfe gehörten jedenfalls zu den Frauengemächern des Harem. Was sich dort Alles abgespielt haben mag, die mollige Vegetationsexistenz apatischer Orientalinnen und feuriger Circassierinnen, die wohllüstigen Tänze der Odalisken des Suban und der Wüste, aber auch das Wehklagen, die Sehnsucht nach der Heimat geraubter Christenmädchen, das mag sich jeder Besucher selbst in seiner Phantasie ausmalen.

Heutzutage ist Alles verödet und still und die einzige Odaliske in diesen Räumen ist die über Rheumatismen klagende neben uns her humpelnde alte Schließerin. Von arabischen Sitten und Gebräuchen ist nur der Bakschisch geblieben.

Aus diesem idyllischen Heim, welches im Centrum der Stadt 5600 Quadratmeter umfaßt, wurde der arme Bey durch den Kanonendonner der Franzosen aufgestört.

Nach elfjährigem Aufenthalt im Aurèsgebirge unterwarf er sich und starb dann, nachdem er noch zwei Jahre seines Lebens in seinem alten Heim genießen durfte, eines natürlichen Todes, wessen sich die wenigsten seiner Vorgänger erfreuen durften; denn die seidene Schnur des Pascha-Dey von Algier reichte bis nach Constantine. —

Achtzig Mal soll Constantine erobert worden sein; es wurde der Reihe nach numidisch, römisch, vandalisch, arabisch und türkisch, bis es schließlich in den Besitz der Franzosen gelangte.

Wer wird wohl der nächste Eroberer dieser Felsenfeste sein?!

Vorläufig wird sie von den Franzosen so gut befestigt, daß sich der fanatischste Arabermarabu wohl hüten wird, sich an dieser harten Nuß die Zähne auszubeißen.

Den Besuch des Rumel kann man mit einer sehr schönen Spazierfahrt verbinden und bei dieser Gelegenheit auch die nächste Umgebung von Constantine besichtigen.

Über den Marktplatz und die schon früher erwähnte Einsattelung hinunter fährt man die gegenüberliegende Anhöhe hinan, an der Pyramide des General Damrémont an der Stelle, wo er fiel, vorbei, bis in die Nähe des die Stadt beherrschenden Fort. Von hier übersieht man fast die ganze Stadt, namentlich das große Eingeborenen-viertel, wie es sich, in der Sonne blendend weiß auf-leuchtend, mit seinem eng ineinander geschachtelten Häuser-meer gerade uns gegenüber staffelförmig bis an den oberen Rand der Schlucht hinunterzieht.

Kein Ziegel- oder Schieferdach unterbricht die Einförmig-keit dieser weiß getünchten Würfel, auf deren flachen Dächern während den schwülen Sommernächten die Maurinnen ihr Lager aufschlagen, währenddem die männliche Bevölkerung in den Gäßchen herumhockt.

Darüber hinweg erblickt man dann die ersten Häuser-reihen des europäischen und des vornehmeren arabischen Quartieres, das man, weil die Steigung bis zur Kasba

sehr mäßig ist, nicht überschauen kann, wie das an der
Halde sich steil hinanziehende große Eingeborenenviertel,
welches durch die Schlucht des Rumel mit ihrer finsteren
Eingangsöffnung einen jähen Abschluß findet.

Tief unten gewahrt man den Bardo, einen weit-
läufigen Komplex, worin sich früher das Reiterlager des
Bey befand.

Um denselben herum ein unbeschreibbares Gemisch von
wandernden Arabern, die dort ihre Esel, Kamele, Maultiere unterbringen, von Händlern in Altertümern, als da
sind alte Lumpen, altes Eisen, Abfälle aller Art, Frucht-
und Cerealienverkäufern, arabischen Garküchen, die einen
undefinierbaren Geruch verbreiten, ein Mittelding zwischen
angebrannter Stiefelschmiere und dem Docht einer aus-
löschenden Petroleumlampe, und durcheinander wimmelnd
Araber, Berber und Juden, an welchen das Nationalkostüm
nur noch an wenigen ekelhaft schmutzigen Fetzen erkennbar
ist, kurzum das Menschengewürm, welches dort als der
Stamm der Béni-Ramassés bezeichnet wird.

Der eigentliche Trödelhandel befindet sich übrigens auf
dem Négrier-Platz in der Nähe der Kasba, welcher von
alter Ware mannigfaltigster Art und Herkunft nur so übersäet ist. Dort erkennt man neben aus Fugen und Leim
gegangenen alten arabischen Möbeln, vergilbte Lithogra-
phieen in altmodischen Rahmen, die man sich erinnert, in
frühester Kindheit einmal irgendwo gesehen zu haben;
dann wieder neben Abbruchmaterial, rostigen Nägeln und
unbrauchbar gewordenem Handwerkzeug, verblichenen Stoff-
resten, Schuhen und Stiefeln, welche nur noch durch unzählige Flicke notdürftig zusammengehalten werden, alte

Folianten aus dem vorletzten Jahrhundert, Esel- und Maultierzäume, Kameelfättel und europäische Kinderwiegen, Guitarren ohne Saiten, zahnlose Maultrommeln und verrostete arabische Flinten. Und Alles das wird gekauft.

Daß alter arabischer Trödel dort feil geboten wird, ist ja nicht zum Verwundern, wohl aber, wie diese europäischen Curiosa nach Constantine gelangt sind, bleibt rätselhaft. —

Der arabische Antiquitätenmarkt hat mich abseits geführt von meiner Spazierfahrt und ich kehre nun zu derselben zurück.

Das Tal des Safsaf, in das wir hernieder steigen, muß in der Sommerszeit außerordentlich lieblich sein; denn sogar Ende Januar waren viele Bäume und Pflanzen im Blätterschmuck und Constantine liegt doch schon an seinem tiefsten Punkt 580 und am höchsten 800 Meter über dem Meere.

Wir fahren über den Safsaf, jetzt El Rumel genannt, an einem imposanten gut erhaltenen Teilstück eines römischen Aquaduktes, bestehend aus 5 Bogen von 20 m Höhe, vorbei und steigen die der Stadt gegenüberliegende Berglehne hinan und nun geht es hinein in die Schlucht, deren finsteres, düsteres, auseinanderklaffendes Felsmassiv uns wie der Eingang zum Orkus entgegengähnt.

Ein Ingenieur Namens Rémès hat auf eigene Kosten diese Schlucht vermittelst eiserner Treppen und an den Felswänden angeklammerten Gallerieen durchwegs zugänglich gemacht.

Man steigt einige Treppen im Zickzack hinunter und steht am Eingang, gegenüber der senkrechten Felswand,

auf welcher die untersten Häuser des Araberviertels Con-
stantines emporragen und von wo in früheren Zeiten die
Ehebrecherinnen hinunter gestürzt wurden.

Tief unten führt die Teufelsbrücke über das Flußbett.
Wir schlängeln uns auf der schmalen Gallerie um einen
überhängenden Felsenvorsprung herum, unter uns die
gähnende Leere und so geht es weiter, schmale steile
Treppen hinauf und hinunter, über Rasenbänder, die sich
wie dünne Fäden in der Mitte der gewaltigen Fluhmassive
hinziehen, immer hoch über dem Flusse, den wir tief unten
schäumen sehen, über uns die oft vollständig überhängenden
nackten Wände.

Einen pittoresken Anblick gewähren die gegenüber trotzig
aufwärts starrenden Felspartieen, die in scharf einge-
schnittenen Zerklüftungen und schwarzen Höhlen unzähligen
Taubenschwärmen und der Straßenreinigungsbrigade von
Constantine, den mit natürlichem Sanitätsinstinkt begabten
Aasgeiern Zufluchtsstätten bieten.

Braune über das Gestein herunter fließende Streifen
und breite Bänder zeigen an, daß dort oben die Loh-
gerber ihr Gewerbe treiben.

Felsenvorsprünge mit Terrassen und von grünem
Pflanzenwuchs bewachsen, bilden hier und da ein idyllisches
Stilleben in der unheimlichen Felsenkluft. Diese Ruhe-
punkte gewähren malerische Ausblicke auf- und abwärts;
wir sehen nochmals den schwindelnden Steg, die schmalen,
sich um die überhängenden Felsenvorsprünge herumwinden-
den frei in der Luft schwebenden Gallerien, von welchen
wir heruntergekommen sind.

Plötzlich erblicken wir unter uns einen schmalen Steg, der, wie Spinnweb über eine Kluft gespannt, tiefer und immer tiefer hinab führt zum Wasserniveau, von wo ein dunkelblaues Wasserbassin hinauf leuchtet. Es sind gefaßte heiße Schwefelquellen und daß diese Bäder von den Arabern sehr geschätzt und gerne besucht werden, beweisen einige aus der Tiefe empor steigende, in ihre malerische Tracht mit weißem flatternden Burnus gekleidete junge Mauren.

Es waren, wie es sich beim Zusammentreffen ergab, zwei Söhne des arabischen Schech von Constantine, hübsche junge Leute, der ältere mit hellblondem Schnurbärtchen und ebenso Flaum ums Kinn, mit ihren Begleitern. Fast hätte ich die Diener für die Herrschaft gehalten, denn sie waren in ebenso feine Gewänder gekleidet und sprachen besser französisch als Letztere.

Die jungen Herrchen erteilten uns in sehr höflicher Weise einigen Aufschluß über die Schwefelbäder.

Und weiter führt der Pfad meistens auf einem bald schmäleren bald breiteren Band über festes Gestein, unter den Ruinen eines altrömischen Brückenwiderlagers durch, bis zum Ausgang, wo sich der Rumel unter mehreren kürzeren und längeren imposanten Felsentunnel hindurch wieder ins Freie ergießt.

Eine steile eiserne Brücke spannt sich dort über den Fluß bis hinunter zu dessen Niveau und gestattet dem Reisenden auch noch diese Tunnel bis zum Ausfluß, wo der Rumel wie Einer, der einer engen Kerkerhaft entronnen ist, die tollsten Freudensprünge macht und in Katarakten sich hinaus= stürzt in die lachende, sonnenbestrahlte Ebene, zu besichtigen.

Und wieder gelangen wir an ein römisches Bauwerk, die Brücke von El-Kantara, die, wie schon früher erwähnt, von dem Bahnhof nach der Rue Nationale führt.

Diese Brücke ist in ihrem unteren Teil noch rein alt= römisch und so gut erhalten, daß darauf der moderne Brückenbau in einem einzigen Bogen aufgeführt werden konnte.

An der Außenseite des römischen Teiles sind Skulp= turen, zwei sich gegenüberstehende Elephanten, eingemeißelt.

Langsam steigen wir nun den rechtsseitigen Abhang hinan bis hinauf zu der in den Felsen gesprengten Land= straße, den Chemin de la Corniche, ein Werk, das in seiner Anlage die berühmte Axenstraße an Großartigkeit noch übertrifft. Wir folgen dieser Straße unter einem Tunnel, dem ersten von vieren, hindurch bis wo sie sich in einer scharfen Windung um den Gebirgsstock herum= zieht und wir uns gegenüber der äußersten Nordecke und zugleich dem höchsten Punkte von Constantine, der Kasba, befinden.

Das Panorama, das wir hier genießen, ist unbeschreib= lich großartig. Tief unter uns der Ausfluß des Rumel, gegenüber die starren, senkrechten Felsmassen, an welchen sich die letzten Verteidiger von Constantine hinunter lassen wollten und über eine ausgedehnte Ebene mit Kulturen, Anlagen und Ortschaften hinweg in weiter Ferne die in der Abendsonne rötlich leuchtenden felsigen Gebirgszüge des Atlas und des Aurès.

Ich habe schon mehrmals die Markthalle genannt, so daß es nun nur in der Ordnung ist, wenn ich den Leser auch hinein führe.

Die Mitte dieses geräumigen Lokales nehmen mehrere Reihen Gemüseſtände ein. Es war erfreulich zu ſehen, wie um dieſe Jahreszeit alle Sorten Gemüſe feilgeboten wurden; rote und weiße Radieschen, Tomaten, alle mög= lichen Kohlarten, Bohnen, Erbſen, Knoblauch und Suppen= gemüſe jeder Art; dazwiſchen ſchöne Äpfel, Orangen, Mandarinen, Nüſſe und Haſelnüſſe, Nord und Süd durch= einander.

Auf anderen Ständen lagen neben zahmem Geflügel Haufen wilder Enten und Gänse, Kibitze und Goldregen= pfeifer, die kleinen wie die großen rotbeinigen Rebhühner, letztere von der Größe einer Taube, Kaninchen und Hasen, kurz alles was das Auge eines Feinſchmeckers entzücken kann.

In den Metzgerständen hängen alle Fleiſchſorten zur Auswahl ſauber ausgeſchlachtet und merkwürdigerweiſe neben denjenigen der zahmen Haustiere auch Wildſchwein= ſeiten und Schinken, ja ſogar Pantherkeulen wurden als extra lecker angeprieſen.

Man muß jedenfalls ſchon ein mehr als gewöhnlicher Verehrer von Wild= und Hautgoût ſein, um einem Panther= braten Geſchmack abgewinnen zu können.

Ich glaube, ich würde einen ſaftigen Rindsbraten vor= ziehen.

Manche Hausfrau wird es gewiß intereſſieren, zu vernehmen, wie ſich die Fleiſchpreiſe zu denjenigen in Europa verhalten.

Die Preiſe ſtehen angeſchrieben und zur Ergänzung hat mir noch ein Metzgermeiſter Auskunft gegeben.

Fleisch von jungen Ochsen oder

    Rindern kostet . . . . . Fr. 1. 40 per Kilo

Bruft . . . . „ —. 95

Stierfleisch . . . . „ 1. — à 1. 20

Junge Hammel und Schafe . „ 1. 40 „ 1. 60

Lamm und Zicklein . . . . „ 1. 60

Widder, alte Schafe und Ziegen „ 1. —

Beefsteak ohne Knochen . . . „ 1. 80

Filet „ „ . . „ 3. —

Kalbfleisch . . . . „ 2. 50

Man sieht, die Preise variieren nicht besonders von denjenigen auf der andern Seite des Weihers.

An einem Stande waren billigere Preise angeschrieben. Man sagte mir, das sei geringeres Fleisch, wahrscheinlich auch Kamelfleisch oder solches, das aus irgend einem Grunde zu wünschen übrig ließ.

Man scheint es in Constantine mit der Fleischschau nicht gerade sehr genau zu nehmen.

Und nun die Metzger selbst.

Die sahen gerade so wohlgemästet aus, wie bei uns daheim und überdies kamen sie einem so bekannt vor.

Dieselben Schwabenphysiognomieen, wie sie uns vom Schlächterfuhrwerk herunter oder hinter dem Haustock hervor entgegen leuchten; dieselben rotgestreiften Metzgerblusen mit aufgestülpten Ärmeln, dieselbe wie die Toga eines altrömischen Senators nur über eine Schulter befestigte weiße Schürze; nur eines vermißte ich: die so kühn schräg auf dem Haupte sitzende Schirmmütze.

Statt dessen trugen alle ein weißes oder buntes Tüchlein um den Kopf gewunden.

Als ich einer Marktfrau mein Befremden über diese sonderbare Kopfbedeckung ausdrückte, meinte sie lachend: Ja, das ist eben mohammedanische Sitte; das sind lauter Kabylen. — Und ich hatte sie für lauter urchige Schwaben gehalten.

Nun fiel es mir erst auf, daß der Metzgermeister mir in einem nicht sonderlich fließenden Französisch Auskunft erteilt hatte.

Kabylen oder nicht, manierlich und gefällig waren die Leute; das muß man ihnen lassen.

Den letzten Vormittag unseres Aufenthaltes in dieser merkwürdigen Felsenfeste benützten wir noch, um dem Judenviertel einen Besuch abzustatten.

Die Judenhäuser sind kenntlich an der himmelblauen Farbe, womit sie entweder ganz, oder doch der Sockel und die Fenster- und Türeinfassungen bemalt sind.

Das Viertel aber erkennt man als solches an den drallen Weibsleuten, die dort hin und wieder spazieren, indem sie sich mit kühnem Schwung auf den Hüften wiegen und aus frischen, vollen Gesichtern fröhlich lachend den Gruß des Fremdlings erwiedern, gleich als ob sie die günstige Gelegenheit benützen möchten, um ihre prächtigen weißen Zähne zu zeigen und glitzern zu lassen.

Daß ihre Gewänder ärmellos sind, hat auch seinen besonderen Grund; denn sie dürfen sie wohl zeigen, diese runden bis zur Achsel nackten, wie gedrechselten Arme.

Eine eigentümliche Kopfbedeckung, die sie als Jüdinnen kennzeichnet, ist das kleine spitzige Zelt von rotem, blauem oder schwarzem Sammt, welches sie so merkwürdig schief auf die rechte Scheitelseite setzen, daß sie es mit Bändern unter dem Kinn befestigen müssen.

Nicht einmal unsere Rekruten konnten seiner Zeit ihre Policemützen so kokett schief aufsetzen und die leisteten doch das Menschenmögliche in Bezug auf Koketterie.

Wir erlaubten uns durch das Hoftor des Wohngebäudes eines reichen Juden einzutreten.

Ein bizarrer Anblick bot sich uns da.

Rings um zwei Hofräume liefen die Lauben der verschiedenen Stockwerke. Der erste Hof war mit schönen Marmorplatten belegt; vier Weiber waren gerade damit beschäftigt, dieselben aufzuwaschen. Einige Stufen führten zum zweiten Hofraum empor, der durch eine niedrige Balustrade von dem Ersteren abgeschlossen war und dieser zweite war geradezu eine Niederlage von allem möglichen Gerümpel, von welchem stolz ein Hahn herniederkrähte und worin gackernde Hühner scharrten; ein sonderbarer Kontrast zu dem mit Marmorplatten belegten Hofraum.

An den hölzernen Balustraden der Lauben des ersten Stockwerkes hingen kostbare Teppiche, an denjenigen des zweiten abgeschossene und fadenscheinige und an den obersten alle möglichen Fetzen, Hadern und Lumpen.

Dieses Ensemble bildete jedenfalls die eigentümlichste Dekoration, die ich je gesehen habe, ein Stilleben eigener Art, wert von einem Künstlerpinsel fixiert zu werden, namentlich mit den vier alten Judenweibern mit ihrem Einhorn auf dem rechten Scheitel als Staffage.

Nach Biskra.

Es war ein schöner Frühlingstag, als uns am nächsten Vormittag der Bahnzug südwärts, Biskra zu, führte.

Wir steigen hinunter in das Tal des Safsaf, nehmen bei der Station Hippodrome Abschied von Constantine, welches von seinem Felsenplateau wie eine Acropolis zu uns hernieder leuchtete, ein wahrhaft majestätischer Anblick, diese massigen Felspartien und darüber hinweg aufgebaut die in einander geschachtelten schneeweißen Häuser der Eingeborenen; dann die hohen Gebäude der vornehmeren Quartiere und die imposanten Bauten der Kasba, Kasernen, Verwaltungen und Spitäler, die sich aus dieser Entfernung großartig schön vom blauen Horizont abhoben.

Weiter führte uns der Zug direkt südwärts an den Stationen Khrub, wo die Linie einerseits nach Guelma und Bône abzweigt und anderseits nach Algier führt, dann El-Guerra und Ain M'lila vorbei nach den beiden Seen Tinsilt und Msuri, welche eine Fläche von 6200 Hektaren bedecken und die von der Bahnlinie auf dem kaum straßenbreiten Isthmus, der sie von einander trennt, durchschnitten werden. Flamingos und wilde Enten beleben dieselben.

Längs des Flußlaufes stehen zahlreiche niedrige Bäume, jeder mit einem Storchennest gekrönt. Von daher also kommen die vielen „Buschi", die uns der Storch im Frühjahr bringt.

Das Tal ist sehr fruchtbar. Hier und da erblickt man arabische Bauern ihren Pflug führend.

Ein solcher Bauer mit seinem Pfluggespann bietet ein weit malerischeres Bild, als es bei uns zu Hause je zu

Gesichte kommt. Voran ein Paar edel geformter Araber-
pferde und den Pflug führend eine Gestalt, als ob sie
von einem Maler zur Aufnahme einer Skizze hingestellt
worden wäre. Farbige weite Pluderhosen in kurzen Reit-
stiefeln steckend und von einem breiten roten Gürtel gehalten, eine verzierte himmelblaue Jacke, auf dem Haupte
kühn die rote Schescha mit hinunter baumelnder Trobbel
und über den Rücken den in der bewegten Luft flatternden
schneeweißen Burnus; denn wir befinden uns auch hier
im Winter und auf einer Höhe von 8—900 Meter, wo
schon ein ordentlich kühler Wind weht.

Hier muß Gustave Doré die Vorbilder für seine Gestalten zur Illustrierung der Bibel geholt haben, denn
wir geraten nun immer mehr in rein orientalisches Leben
hinein, wie es uns im eigentlichen Orient nicht ursprüng-
licher von Augen geführt werden könnte.

Es hat für den Leser keinen Zweck, die verschiedenen
kleineren Stationen anzuführen; erwähnenswert sind blos
Batna, am Eingang eines weiten Talkessels und El Kantara, der Mund der Sahara.

Eine kurze Strecke hinter Batna erreicht die Bahnlinie
den höchsten Punkt mit 1080 Meter Höhe und nun führt
sie abwärts bis nach Biskra.

Dieser Punkt bildet also die Wasserscheide der Gewässer,
welche einerseits nach dem mittelländischen Meere abfließen,
andererseits in der Sahara versickern.

Südwestwärts von Batna erblickt man den Pic Tougourt,
eine schöne 2100 Meter hohe Bergpyramide in grünem
Schmuck, denn ihr Rücken ist mit einem mächtigen Cedern-
walde bekleidet.

Es ist wirklich ein wohltuender Anblick dieser schöne grüne Berg, als dessen Fortsetzung nun nur noch öde zackige Felsgebirge hervortreten. Gewaltige Massive in bizarren Formen, die Felszüge des Aurès, treten immer näher heran, bis sie sich bei El Kantara in fast senkrechtem Absturz beinahe zusammenschließen und nur noch eine enge Kluft zum Durchfluß des aufschäumenden Kantaraflusses lassen.

Schon lange vor El Kantara waren wir bereits in die Wüstenregion gelangt und statt fruchtbaren Feldern hatten sich dem Auge nur Sand und Tamariskenbüsche, das Kamelfutter, dargeboten.

Unmittelbar vor der Kluft (Fum-es-Sahara = Mund der Sahara) setzt eine alte Römerbrücke, deren origineller Anblick durch eine Renovation eher verunziert worden ist, in einem einzigen zehn Meter weiten Bogen, 14½ Meter hoch über den Fluß und dient heute noch dem Verkehr mit den Tälern des Aurès.

Wir hatten schon 3 Tunnel und 7 Viadukte passiert, als sich bei dem Austritt aus dem letzten die gewaltige Scheidemauer durchbohrenden Tunnel dem Auge ein Ausblick zeigte, wie er herrlicher kaum gedacht werden kann.

Vor uns ein weites sich in der Ferne verlierendes Sandhügelland, begrenzt von Fels- und Sandbergen, zu unserer Rechten, jedoch tief unter uns, eine ungeheure Palmenanpflanzung mit einem Bestand von 100 000 Dattelpalmen.

Dieses Gewoge von grünen Palmenwipfeln, aus welchem die rötlichen arabischen Dörfer festungsartig auftauchten und durch das sich der Kantarafluß wie ein Silberband hinburchschlängelte, rings umgeben von Sandwüsteneien, wirkte fascinierend auf den Beschauer, war es doch die erste Palmenoase, die so unvermittelt, wie aus dem Boden gezaubert, vor den erstaunten Blicken auftauchte.

Nun folgte wieder Einöde auf Einöde, Sand und Tamarisken; auf der ganzen Linie aber Resten von Römer= bauten, sogar die Ruinen einer von Marc Antonius Gor= dianus erbauten Fortifikation, das Burgum Commodianum mitten in der Sandwüste, dann wieder einzelne Oasen, wie Fontaine des Gazelles, El Outaïa, Ferme Dufourg.

Nun aber in einem weiten Bogen um einige Ausläufer des Sandgebirges herum und vor uns erstreckt sich weit in die Sahara hinein das Tell, jenes Vorland, welches abwechslungsweise aus Sandwüste, schönen Oasen, grünen Tamarisken= und Steppengrasweiden bestehend, ein Binde= glied bildet zwischen der eigentlichen unermeßlichen Sand= wüste Sahara und dem Kulturland.

Biskra! tout le monde descend!

Biskra und Umgebung. — Eine Fantasia.

Gasthofportiers, Omnibusse, arabische Gepäckträger, Offiziere, malerisch gekleidete Spahis, Turkos, die unver= meidlichen Globetrotters, Esel und Kamele, Maultiere und Pferde in buntem durcheinander, und dahinter städtische Anlagen in Palmenwäldern, das ist der vielbesuchte Fremdenkurort Biskra!

Im Hotel Viktoria fanden wir gute Unterkunft. Der Wirt, ein Deutscher, hatte eine Bernerin zur Frau und die ganze Bedienung war deutsch oder schweizerisch. An

3

Kurgästen war Gouverneur Wißmann mit Gemahlin da gewesen und der Naturforscher Professor Schweinfurth, der Explorer Centralafrikas und seiner Kanibalenvölker, der A-Sandeh oder Niam-Niam= und der Mombuttu-Länder, hatte sich zu längerem Aufenthalt hier niedergelassen.

Was uns nicht gefiel, war der häufige Wind, der den Sand aufwirbelte und Erkältungen bewirkte. Indessen war die Februartemperatur so angenehm, daß man derartige Unannehmlichkeiten mit in Kauf nehmen mußte.

Das europäische und das arabische Viertel sind aneinander gebaut und greifen zum Teil in einander hinein. Inmitten des Letzteren liegt der große Marktplatz; eingerahmt von geräumigen Markthallen. An den beiden Längsstraßen, die den Markt abgrenzen, befinden sich die Kaufläden der Eingeborenen, vorab der M'zabiten, auf welche ich noch später zurückkommen werde.

Auch die arabischen Garküchen laden dort die Gourmands zu leckerem Genusse ein. Wir konnten es uns nicht versagen, dort einen Gusgus, ein Gericht aus grobkörnigem Semmelmehl mit pikanter Sauce, in welcher rätselhafte Ingredienzien herumschwammen, zu kosten, und ich muß gestehen, es schmeckte gar nicht übel.

Auf dem Markte wird alles Mögliche feilgeboten. Da kauern die Händler auf dünnen Strohmatten und verkaufen Datteln in Ballen, weiche und harte, letztere trocken und mehlig schmeckend, Hennablätter zum färben der Fingernägel, Farbknollen, Kartoffeln und Orangen, Dura zur Bereitung des Gusgus, Gewürze; europäische Quincailleriewaren aller Art liegen da auf den Matten ausgebreitet und dazwischen promenieren Kamele und Esel mit Laften oder pflegen auf dem Boden inmitten der wogenden Menge gelauert der Ruhe.

Ambulante Händler preifen die fonderbarften Wunderbinge an, als da find: Rofenkränze aus hart gedörrtem Gazellenkot, Springmäuſe aus der Wüſte und Gebirgsratten mit rüſſelartigem Mundſtück, Storpione und die gefürchtete Hornviper der Wüſte, deren Biß augenblicklich tödlich wirkt.

Dieſes unheimliche Geſchöpf hat einen gleichmäßig verlaufenden meterlangen Leib, der in ein kurzes dünnes Schwänzchen ausläuft. Auf dem platten Kopfe ſitzen zwei bewegliche, fleiſchige Hörnchen. Es läßt dieſelben frei ſpielen, währenddem der Leib ſorgſam im Sande verſteckt liegt. Der unglückſelige Vogel, der dieſe Hörnchen für Würmchen hält und daran pickt, wird ſofort zum Opfer ſeiner Gelüſte. Die Viper ſoll aber auch Menſchen auf mehrere Meter Diſtanz anſpringen und das iſt dann für den Wanderer ſchon ungemütlicher.

Einer unſerer Kurgäſte hatte ein ſolches Tierchen gekauft, das in einem nur mit Papier verſchloſſenen Glaſe das Grauen der ganzen Geſellſchaft erregte. Stolz auf ſeine Acquiſition ſpazierte er dann von Saal zu Saal und erklärte die Untugenden dieſes unheimlichen Gaſtes. Schließlich, nachdem mehrere Damen aus Angſt, die Viper könnte in ihr Schlafzimmer kriechen, eine ſchlafloſe Nacht zugebracht hatten, ließ er ſie durch den Apotheker des Ortes vermittelſt Chloroform umbringen. Sie ſoll aber noch furchtbar im Glaſe gewütet haben, bis ſie tot war, wobei der Apotheker ſelber Todesängſten ausgeſtanden habe.

Ein alter Araber bot mir mit gravitätischer Miene um hohen Preis die Krallen des letzten algerischen Löwen, der an Altersschwäche gestorben sein soll, zum Kaufe an. Ich hatte ihn aber stark im Verdacht, dieselben aus Kamelsklauen herausgeschnitzt zu haben und trat nicht auf den Handel ein, obschon er mir beim Barte des Propheten die Echtheit beschwor.

Ob der Löwe im Asyl für Altersinvalide verblichen sei, wo seine Identität hätte nachgewiesen werden können, wollte er aber nicht beschwören.

An ambulanten Garküchen fehlte es ebenfalls nicht. In eisernen Töpfen über einem Kohlenfeuerchen brodelte eine Suppe, in welcher ich nur Kartoffelstücke klar erkennen konnte. Das Übrige war Mysterium. Darum herum hockte junges und altes Volk, das sich für ein Kupfer= stück einen Teller Suppe geben ließ.

Diese Suppe versuchten wir nicht.

Überall schlängelten sich in scheußliche Lumpen gehüllte Bettler hindurch, welche das erbettelte Soustück sofort in Suppe auflösten, um dann ganz unverfroren zu dem Geber zurückkehrten, um ein zweites zu erbetteln; wahr= scheinlich für das Dessert.

In den Markthallen befindet sich der Gemüsemarkt; auch Stoffhändler bieten dort ihre Ware aus; ebenso Fabrikanten von arabischen Fähnchenfächern, welche die Ware vor den Augen des Käufers anfertigen.

Eine sonderbare Industrie ist das Ausstopfen der schwärzlichen, stachelschwänzigen Wüsteneidechsen.

Man sieht das ca. 30 Centimeter lange harmlose Geschöpf noch lebend herumkriechen, um es kurz darauf mit Kleie gefüllt und mit Glasaugen im Kopfe als Dekorationsstück zu erhalten.

In den Magazinen eines M'zabiten erschacherte ich einen leichten Burnus und glaubte um so mehr ein gutes Geschäft gemacht zu haben, als mir dieser Wüstensohn hoch und teuer schwor, noch nie einen Burnus so billig verkauft zu haben. Das Gewebe aus feinster Schafwolle beziehe er aus seinem Heimatland, dem M'Zab, weit, weit im Süden, fast mitten in der Sahara; der Bezug von so weit her auf Kamelsrücken koste enorm viel Geld; von etwas daran verdienen sei überhaupt keine Rede, da er unter dem Preise verkaufen müsse, um sein Lager zu räumen, denn es sei ein neues Gesetz gegen den unlauteren Wettbewerb im Wurfe und da könne man nicht wissen, wie dasselbe von Seiten der Franzosen gegenüber den armen Arabern angewendet werde, um arabische Fabrikate zu gunsten französischer Importware zu unterdrücken.

Der Mann sprach so überzeugend, mit der eindringlichen Volubilität, den ausdrucksvollen Mienen und den würdigen Handbewegungen eines Verteidigers, wenn er sich bemüht, einen schweren Gewohnheitsverbrecher über allen Verdacht zu erheben; dazwischen strich er mit natürlicher Grazie und einem Anflug von wohlwollender Bonhommie über den kurz geschorenen wohlgepflegten Bart, der wie ein rabenschwarzes Band das edle Antlitz umrahmte, gleichsam den Schwur des Propheten symbolisierend.

Ich war vollständig überzeugt den Araber hinein gelegt zu haben, nachdem es mir gelungen war, noch ziemlich am Preise herunter zu markten, indem ich arabische Gewebe doch als minderwertig gegenüber europäischen Erzeugnissen

hinstellte und mir überhaupt den Anschein gab, als ob es
mir eigentlich mehr um Bereicherung meiner Kenntnisse
in der Textilindustrie als ernstlich um den Kauf zu tun
sei und ich mich schließlich schleunigst mit meiner Beute
davon gemacht hatte, bevor noch der M'zabite Zeit finden
konnte, den Handel zu bereuen und denselben rückgängig zu
machen.

Im Gasthof angelangt, packte ich den Burnus sorgfältig aus dem Umschlag, um mich nochmals bei gutem
Lichte an meinem Schick zu weiden, was in dem halb-
dunkeln Kaufgewölbe des M'zabiten nicht gut möglich
gewesen war.

Der Stoff erwies sich als ganz ordinärer halbwollener
Mousseline de laine aus einer renommierten Fabrik im
Kanton Glarus, wovon ich selber in früheren Zeiten hunderte
von Stücken verkauft hatte und der Leibkabyle des Gasthofes, Dollmetsch und Faktotum zugleich, wie sie beständig
an den Portalen und im Vestibule herumlungern, schätzte
den Wert auf annähernd den dritten Teil meines Ankaufs-
preises; das sei ungefähr der landläufige Preis für derartige billige Burnusse, wie sie fix und fertig von Frankreich importiert würden. Unlauterer Wettbewerb, quoi?!

Nun schwur aber ich beim Barte des Phropheten, mich
nie wieder daran kriegen zu lassen.

Es dauerte jedoch nicht sehr lange, so legte mich derselbe Leibkabyle hinein, den ich unvorsichtiger Weise zu
Rate gezogen und der sich meinen Burnuspreis eingeprägt
hatte, indem er mir eine Anzahl halbseidener Decken,
feinster arabischer Fabrikation, um das dreifache des eigentlichen Verkaufswertes anhängte.

Er erwies sich als sächsisches Halbfloretseidengewebe
mit arabischen Mustern.

Von jetzt an beschränkte ich meine Einkäufe in arabischen
Artikeln nur noch auf solche, die zu meinem leiblichen
Genusse dienten und war stolz darauf, daß mich darin
hinsichtlich Provenienz keiner anschwindeln konnte.

Ich hätte den geriebenen Araber sehen mögen, der
mir deutsche Datteln und Mandarinen für arabische verkauft hätte. Alles was ich kaufte, war fortan ächt.

Die M'zabiten, welche zu den geriebensten Kaufleuten
zählen und in Biskra die bedeutendsten Kaufladen besitzen,
bilden eine besondere Sekte mohamedanischer Schismatiker.
Äußerlich in Kleidung und Physiognomie wie die übrigen
Araber, sind sie von geschmeidigen Körperformen, fein ge-
schnittenen scharfen Gesichtszügen, tiefschwarzem Haarwuchs,
Bart und Schnurrbart; sie tragen den Bart, wie schon
bemerkt, wie ein schmales Band von Ohr zu Ohr, ober-
halb und unterhalb sauber rasiert.

Als ich einen Araber um den Unterschied zwischen ihm
und einem M'zabiten befragte, sagte er mir kurz und
bündig: un M'zabite est le contraire d'un Arabe. Nun
war ich informiert und konnte daraus machen was ich wollte.
Besser unterrichtete mich eine französische Ladeninhaberin,
welche meinte: les m'zabites sont dans la religion musel-
mane ce que sont les protestants dans la religion
chrétienne. Das war schon besser.

Sonderbarer Weise giebt es unter diesen Leuten mit
den undurchdringlich schwarzen Augen auch blauäugige
und blondhaarige. Es ist dies um so auffallender, als
ihr Stammsitz sich so 'zu sagen in der Wüste selbst befindet,

in den von felsigen Abhängen umsäumten Oasen, welche
das Bindeglied zwischen dem südlichen Hochplateau
Algiers, das sich in seiner Öde südlich vom Kulturland
zwischen der Provinz Oran bis zur Provinz Constantine
hinzieht, und der eigentlichen Sandregion der Sahara
bilden.

Hier haben diese Schismatiker, welche von den übrigen
Arabern die „Fünften" genannt werden, weil sie außer-
halb der anerkannten vier mohamedanischen Sekten stehen,
in sechs Ortschaften ihre Unabhängigkeit und ihre differie-
renden religiösen Gebräuche gewahrt, bis sie im Jahre
1882 von den Franzosen unter General Latour-d'Auvergne
annexiert wurden.

Die Franzosen strengen sich außerordentlich an, den
Fremdenstrom nach Algier zu leiten und haben daher auch
in Biskra gute Ordnung geschaffen, und nicht nur zur
Verschönerung sondern auch zur Bequemlichkeit der Reisenden und Kurgäste in mannigfacher Hinsicht beigetragen.

Das rechteckig angelegte Städchen wird von gut unter-
haltenen Straßen durchzogen, eine prachtvolle Promenade
ladet zur Erholung im Freien ein und da die beiderseits
gepflanzten Bäume einen schattigen Laubgang bilden, so
bietet sie auch zur heißeren Jahreszeit Schutz gegen die
Sonnenstrahlen.

Pferdebahnen führen einerseits zu den malerischen
Ruinen der alten Türkenfestung und nach Altbiskra, andererseits zu den am Fuße des aus rotem Sandgestein gebildeten Gebirgsausläufern gelegenen heißen Schwefelbädern
Hamam Sala'hhein, welche europäisch eingerichtet sind und
unter der Leitung eines französischen Arztes stehen. Diese

Bäder werden wegen ihrer Heilwirkung gegen Rheumatismen und Hautkrankheiten auch von Arabern stark besucht. Das schwefelhaltige Wasser entquillt 46° C heiß
dem Boden und sowohl das Bett des Abflusses, als auch
Tümpel in weitem Umkreis sind mit einer weißen Kruste
überzogen.

Für gesellschaftliche Anlässe und Unterhaltung wurde
das Kasino (Dar-Diaf) gebaut, ein Monumentalbau in
arabischem Styl, in welchem sich an die im Centrum gelegene, von einem Kuppelbau überwölbte Trinkhalle, ein
großer Tanz- und Konzertsaal, ein Restaurationssaal,
Wirtschafts- und Spiellokale anreihen, in welchen Letzteren
außer den petits chevaux auch das weniger harmlose
Baccarat eine Heimstätte gefunden hat. Auch reiche Araber
opfern hier diesem modernen Götzen der ungläubigen Giaur.

Zum Schutze der Europäer und um die turbulenten
Oasenstämme im Zaum zu halten, sind auf einem gewaltigen mit Mauern umgebenen und von Wachttürmen
flankierten Areal große Kasernenbauten errichtet worden,
in welchen die aus Tirailleurs algériens (Turcos) und
Spahis bestehende Besatzung untergebracht ist.

Wo Offiziere sind, da dürfen auch Wettrennen nicht
fehlen und so wurde auch uns während unserem Aufenthalt das Schauspiel eines europäischen Wettrennens, verbunden mit einer Falkenjagd und einer außerordentlichen
arabischen Fantasia geboten.

Große Plakate kündigten an, daß der Aga der Provinz
Constantine Si M'hamed ben Bou Aziz ben Ganna eine
Fantasia der eingeborenen Gums seiner ihm unterstellten
Provinz, sowie eine Falkenjagd inscenieren werde.

In der Tat bemerkten wir bei Anlaß eines Tagesaus-
fluges, den wir nach der geheiligten Stadt Sibi Okba
unternahmen, wie von allen Windrichtungen der Wüste
her Araber mit alten Flinten am Rücken querfeldein
Biskra entgegen ritten. Das waren die Gums, die irregu-
läre eingeborene Reiterei, welche dem Kommando eben
jenes Aga Ben Ganna unterstellt ist und die bei Biskra
ein großes Zeltlager errichteten.

Abgesehen von einigen Schechs oder wohlhabenden
Grundbesitzern (Dattelpflanzungen), welche wirklich schöne
Berberpferde ritten, saß die Mehrzahl auf mageren bock-
beinigen Kleppern.

Das Wettrennen begann mit dem Offiziers- und Unter-
offiziersrennen, Herrenrennen 2c., welche sich in derselben
Weise abspielten, wie alle Rennen überhaupt.

Nun aber hörte man aus der Ferne ein seltsames
Dudeln, Quicken und Trommeln, untermischt mit gellendem
Geheul und die Rennbahn heran zog ein burlesker Morgen-
streichzug.

Es waren die M'zabiten der Stadt, die von sich aus
eine Fantasia zu Fuß veranstalteten.

Voran Quer- und Dudelsackpfeifer auf Eseln, dann
ein hüpfendes, hopsendes Gewimmel in hoch aufgeschürzten
weißen Gewändern oder auch nur Kitteln von unbeschreib-
licher Farbe, welche die Beine nackt und frei ließen.

Jeder trug eine alte Flinte, Trombone oder ganz
kurze Art Wallbüchse von ungeheurem Kaliber.

Da vorerst die Cavallerie Fantasia aufgeführt werden
sollte, wurden die M'zabiten einstweilen seitwärts dirigiert

und nun zogen sie heran die Gums auf ihren Rennern; voraus eine ähnliche Musik, wie bei den M'zabiten.

Dann aber kamen die verschiedenen Ortschaften und Oasen unter Anführung ihrer Schechs (Ortsvorsteher), welche in malerischer Tracht, beturbant und mit wallenden roten Mänteln angetan, ihre Hengste vorweg tummelten; ihnen zur Seite die Standartenträger, welche die große schwerseidene, in der Sonne blau, rot oder grün glänzende, mit arabischen Zeichen in goldener Schrift verzierte Stammesfahne trugen.

In der Mitte des Zuges marschierten gravitätisch zwei gewaltige Kamele des Aga, welche hoch aufgetürmt die seidenen Reisezelte seiner Frauen trugen. Ob diese Favoritinnen von diesem erhöhten Standpunkte aus den Rennen zugeschaut hatten, konnten wir angesichts der strenge waltenden Diskretion nicht beurteilen.

Wir mußten aber um so mehr annehmen, daß sie in ihrem Versteck saßen, als bei dem Herannahen dieser Kamele, die Ouled Neïl Mädchen, jene Tänzerinen aus der Wüste, ein vibrierendes lu lu lu Geschrei erhoben.

Diese Mädchen vom Stamme Ouled Neïl, südwestlich von Tugurt, kommen in größerer Zahl in die Gegend von Biskra, wo sie ihre eigentümlichen arabischen Tänze aufführen. Das Geld, welches sie dabei zusammenraffen, dient ihnen nach ihrer Rückkehr als Aussteuer und je nach der Höhe der Summe machen sie auch ihre Ansprüche an den von ihnen zu erwählenden Zukünftigen geltend. Daß das Tanzen ein lukrativer Beruf für diese Mädchen war, bewiesen die mehrfachen Bänder aneinandergereihter Napoleonsd'or welche die Stirne umwanden, an den

Schläfen herunter baumelten und wie ein goldener Brust-
panzer oft die ganze Büste bedeckten bis hinunter zu den
Hüften.

Für die Ouled Neïl war gegenüber den Haupttribünen
eine besondere Tribüne erstellt worden. Sie boten in
ihren seidenen, in allen Farben glänzenden Gewändern
und mit den in der Sonne funkelnden Goldstücken eine prächtige Staffage zu dem ganzen interessanten Bilde.

Nachdem der Vorbeimarsch im Schritt stattgefunden
hatte, ordnete sich der Zug zur eigentlichen Fantasia und
defilierte in scharfem Trabe an den Tribünen vorbei.
Wie ganz anders sahen nun die Wüstenklepper aus!

Stolz aufgerichtet und tapfer ausschreitend präsentierten
sie den Typus, wie wir ihn aus Schilderungen über das
Araberleben in der Wüste kennen.

Noch mehr aber kam ihr feuriges Temperament zur
Geltung, als nach dem Trabdefilieren die Galoppade begann.

Zuerst sprengten die Schechs heran in rasender Carrière
in den Steigbügeln stehend, aus der langen Flinte oder
auch der modernen Jagdflinte links und rechts Schüsse
abgebend und dann rasch den krummen Säbel ziehend
und nach allen Seiten Hiebe austeilend, so flogen sie
vorbei, an der Seite den getreuen Fahnenträger, welcher
in gleicher Carrière Schritt hielt und angefeuert von dem
immer phrenetischer hervorgestoßenen schrillen lu lu lu der
Ouled Neïl.

So mag das Heransprengen der Emir des Mahdi auf
die feuernden englischen Linien ausgesehen haben, als sie
ihre Renner so todesmutig in den Kugelregen und in die
Bajonette anspornten.

Auf die Schechs folgten ihre Leute truppweise, ebenfalls während der schneidigsten Carrière ihre Flinten ab-
feuernd und den Säbel schwingend. Es schien als ob
mit den Pferden eine vollständige Metamorphose vorge-
gangen war, als sie, wie ein gehetzter Hirsch, die Beine
wagrecht auswerfend an uns vorüber schossen.

Sind denn das wirklich dieselben Klepper, welche wir
vorher so klein, unscheinbar und bockbeinig im Lager stehen
sahen?

Der Anblick war wahrhaft imposant und bot uns ein
Bild aus dem Leben und den Festlichkeiten der Wüstenaraber, wie man es origineller und phantastischer sich nicht
ausmalen könnte.

Die nun folgende Falkenjagd war deshalb interessant,
weil man sich vergegenwärtigen konnte, wie sich dieser
Sport im Mittelalter abgespielt haben mag.

Ein Häslein saß in einem Kistchen gefangen. Kaum
wurde das Falltürchen geöffnet, als es auch schon das
Weite suchte; aber noch war es keine fünfzig Meter weit
gerannt, als der Falkonier auch schon dem auf seiner
Faust sitzenden Falken die Haube abgerissen hatte, worauf
derselbe sich in die Lüfte erhob. Kaum hatte er das sich
flüchtende Wild gewahrt, als er plötzlich herunter stieß,
sich aber sofort wieder empor schwang. Freund Lampe
hatte einen Hacken geschlagen und war so dem Stoß aus-
gewichen. Dasselbe Mißgeschick passierte einem zweiten
Falken, der gleichzeitig frei gelassen worden war und so
wiederholte sich dieses Schauspiel mehrere Male, bis es
endlich dem geängstigten Häslein gelang, ein niederes Gebüsch zu erreichen und sich hinein zu retten.

Schlimmer erging es einem Kameraden, welcher nachher losgelassen und nach kurzem Lauf das Opfer der auf
ihn herunter stoßenden Falken wurde. Rasch eilten die
Falkoniere herbei, warfen ihren Pfleglingen Stücke Fleisch
zu, bevor sie den Hasen allzu sehr beschädigen konnten
und setzten ihnen die Blendhaube wieder auf.

Nun kamen endlich die M'zabiten der Stadt mit ihrer
Fantasia an die Reihe.

In Gruppen von 4 bis 12 Mann rannten sie unter
Luftsprüngen und lautem Geheul mit ihren geladenen
Waffen auf der Schulter vor. Plötzlich kehrte sich wie auf
ein Kommando die vordere Reihe um und nun schossen sie
sich gegenseitig mit einem Froschhupf und unter gellendem
Jauchzer die volle Ladung vor die Füße, sodaß Sand,
Staub und Pulverdampf hoch empor wirbelten. Manchem
floß das Blut die Beine herunter, aber nur um so toller
machte er seine Luftsprünge und schoß seinen Schießprügel
gegen die Füße seines Gegners ab. Besonders drollig war
ein langer dunkelhäutiger Kerl, dessen Kittel kaum über
die Hüfte hinunter reichte und der seine dunkeln Beine in
der possierlichsten Weise in der Luft herum schlenkerte.

Allmählig ging es dem Abend entgegen, die Gums
waren verschwunden und hatten wieder ihr Lager bezogen
und nun brachen auch die M'zabiten auf. Noch bis tief
in die Nacht hinein, hörte man ihre Musik, ihr Gejohle
und das Krachen ihrer Flinten während ihres Zuges durch
die Straßen der Stadt.

Daß sich bei diesen Wüstensöhnen europäischer Schwindel
eingebürgert hat, konnte ich bei Anlaß eines Besuches, den
ich dem Gumlager abstattete, gewahren.

Ein stattlicher älterer Araber in der etwas abgetragenen Uniform der Spahi hatte sich an mich genestelt, um mir, wie er sagte, die Kamele der Frauen des Aga zu zeigen. Wie durch Zufall kamen wir auf dem Rückweg zu einem kleinen Zelt, in welchem Araber eine Variante des Kümmelblättchens spielten und damit gewinnsüchtige Gimpel anzulocken suchten. Statt Spielkarten bedienten sie sich rot gefärbter Nußschaalen und eines Thonkügelchens. Es galt zu erraten, unter welcher der drei Nußschaalen sich das Kügelchen befand. Natürlich machten sie es anfänglich in so auffälliger Weise, daß das Erraten leicht war. Mein Führer warf ein Fünffrankenstück hin, das sich sofort verdoppelte und so erging es einem zweiten. Dann aber mußte er nicht nur den Gewinn, sondern auch den Einsatz wieder hergeben und nun forderte er mich auf, mein Glück zu versuchen oder ihm fünf Franken zu leihen, damit er seinen Einsatz wieder zurückgewinnen könne.

Auf diesen Leim kroch ich jedoch nicht; der Köder war aber auch gar zu plump gelegt.

Ein höchst interessanter Aussichtspunkt in der Nähe von Biskra ist der Col de Sfa, den man in kaum zweistündiger Fahrt von Biskra aus erreicht.

Dieser nicht sehr hohe Paß führt über die Ausläufer des Aurèsgebirgs zwischen Biskra und den in der Richtung nach Constantine liegenden Oasen El Qutaya, El Kantarah ꝛc. Von dort aus genießt man einen weiten Ausblick über die Wüste. Wohl nirgends kann man sich eine bessere Vorstellung von der Unendlichkeit der Wüste machen, als wenn man von dem Col de Sfa aus das Auge schweifen läßt, zuerst südwestlich den Sandgebirgen entlang, an deren Fuß in einer kleinen Entfernung die weißen Gebäude des Schwefel- bades Haman Sala'lhhein zu uns herauf schimmern, dann vor uns rötlich schimmernde Sandhügel und Sandwellen, die sich allmählich in der Ferne ins Unendliche verlieren, nur unterbrochen von dem grünen Band der Ebene von Saada.

Ein liebliches Bild gewährt in der Ferne zu unserer Linken die Palmenoase von Biskra, in welcher die weißen Gebäude wie Edelweiß aus saftigem Lorbeer herausleuchten und als Hintergrund das Aurèsgebirge mit der höchsten Kuppe dieses südlichsten Gebirgszuges des Aurès, dem Amarkadu, über dessen Rücken sich zu dieser Jahreszeit wie ein gewaltiger Burnus ein Schneefeld ausbreitete.

Nicht vergebens heißt Biskra in dieser Umgebung die Königin des Ziban, denn es ist unstreitig der schönste und bedeutendste Ort im ganzen Zab. Die Gegend des Zab umschließt eine große Anzahl nicht weit auseinanderliegen- der Ortschaften. „Zab" heißt Ortschaft, in der Mehrzahl „Ziban".

Als im Jahre 1844 die ersten französischen Soldaten unter dem duc d'Aumale zur Besitznahme Biskras auf dem Col de Sfa anlangten, waren sie von der überwäl- tigenden Fernsicht so überrascht, daß sie glaubten das Meer vor sich zu haben und in den Ruf: Das Meer! das Meer! ausbrachen.

Auch auf einen unserer Reisegefährten wirkte der wun- dervolle Ausblick so nervenerregend, daß urplötzlich eine Dichterkrampfader in ihm schwoll.

Lange hatte er mit gläsernen Augen in die Ferne ge-
starrt, als er sich mit einem Ruck erhob und folgende
Knittelverse in die Wüste hinaus deklamierte;

> Wir weilten auf dem Col de Sfa
> Vor uns die weite Wüste,
> Ein Bild wie ich noch keines sah,
> So packend keines wüßte.
>
> Kein Baum, kein Strauch, nur Fels und Sand
> In gold'nem Sonnenscheine,
> Vom blausten Himmel überspannt —
> Man fühlt sich so alleine.
>
> Von saft'gen Triften, grüner Flur
> Bleibt nur ein fernes Ahnen;
> Tief unten zieh'n auf heißer Spur
> Die Wüstenkarawanen.
>
> Doch sieh', am fernen Wüstensaum
> Ein Bild, wie grüner Rasen;
> Das sind auf eng begrenztem Raum,
> Die lieblichen Oasen.
>
> Wie herrlich läßt sich träumen dort,
> Im dunklen Palmenhaine;
> Es zieht mich hin nach jenem Ort:
> Ich fühl' mich nicht alleine.
>
> Dort unter Palmen schattig, kühl,
> Da herrscht nur ein Bestreben;
> Es ist ein wonniglich Gefühl:
> „Recht sorgenlos zu leben. —"

Diese wunderbar schönen Verse kritzelte er auf einen
der herumliegenden Backsteine. Dann grub er eine ver-
schüttete Cisterne mitten im Turm wieder aus, legte den
Backstein sorgfältig hinein und deckte ihn mit einer Stein-
platte wieder zu.

Hierauf, zu uns gewendet, sprach er voll stolzem
Selbstbewußtsein die denkwürdige Sentenz:

4

„Wenn in hunderten und tausenden von Jahren „Forscher diese Inschrift herausgraben werden, wird sie „eine Antiquität sein und dann in irgend einem berühmten „Museum angestaunt werden. Hervorragende Gelehrte „werden sich bemühen, sie zu entziffern, wie heutzutage „eine assyrische Keilschrift!"

Das war nicht Tropen= sondern schon mehr Wüsten= koller und da wir noch Schlimmeres befürchten mußten, kugelten wir über Kopf und Hals den Berg hinunter, packten unsern Freund, der von Dichterbazillen vollständig durchseucht zu sein schien, in das Fuhrwerk und galoppierten schleunigst heimwärts in den Gasthof, wo wir ihn unter die Kaltwasserdouche schleppten.

Es war aber auch die höchste Zeit; denn nur dieses energische Mittel brachte die Jamben, Trochäen, Daktylen 2c., welche wild wie Bienen in einem Bienenkorb, wenn sie schwärmen wollen, in seinem Gehirn herum wirbelten, allmählich zur Erstarrung.

Als er gehörig abgekühlt war, versprach er reumütig, es nie wieder zu tun. —

Zu den warmen Schwefelbädern von Hammam Sala hhein (Warme Quellen der Heiligen) führt eine sehr frequentierte Pferdebahn. Dieses 8 Kilometer von Biskra entfernte Bad besteht aus einem quadratischen Bau mit einer offenen Vorhalle, zu welcher eine breite Treppen= flucht hinanführt. In einem kleinen Hofraum befindet sich die gefaßte Quelle, in welcher das Schwefelwasser 45° C heiß emporstrudelt und von wo es zu·den verschiedenen geräumigen Bassins geleitet wird. Die Verwalterin, eine vorzüglich französisch sprechende Kabylin, empfing uns und

ließ uns bie Räume burch einen anberen, in ber franzöſiſchen Sprache ebenfalls ſehr gut bewanderten Araber
zeigen.

Das Etabliſſement wird von einem franzöſiſchen Arzt
geleitet und wird wegen ſeiner Heilwirkung gegen Hautkrankheiten, Rheumatismen und verwandten Krankheiten,
ſowohl von Europäern als auch von Arabern ſehr ſtark
beſucht.

Das ganze Bachbett ber abfließenden Quelle und viele
größere und kleinere Tümpel im Umkreiſe ſind mit weißen
Kruſten von zerſetztem Schwefel bedeckt.

Auf ber Hinfahrt war uns ein einſamer großer Dorn-
ſtrauch aufgefallen, der aus einem Steinhaufen herausragte
und der über und über mit bunten Läppchen beflaggt war.

Es war die Grabſtelle eines Marabu, der dort ver-
ſchieden war.

Jeder vorbeiziehende Araber glaubt ein heiliges Werk
zu verrichten, wenn er einen Stein auf den Haufen wirft
und einen Fetzen von ſeinem Gewand an den Dorn hängt.

Ich habe vorhin von der kabyliſchen Verwalterin des
Bades geſprochen und will nun bei dieſer Gelegenheit
gleich erwähnen, daß faſt alle Kellner in den Cafés und
Reſtaurants Kabylen ſind.

Man glaubt von einem franzöſiſchen, italieniſchen oder
auch blondhaarigen deutſchen Jüngling bedient zu werden;
frägt man ſie aber nach ihrer Abſtammung, ſo lautet die
ſtereotype Antwort: je suis kabyle.

Die Kabylen ſind in der Regel arbeitſamer und
namentlich für derartige Verrichtungen anſchicklicher als
die Araber.

Wer sich in Biskra aufhält, wird nicht verfehlen dem Garten des Grafen Landon einen Besuch abzustatten. Es ist eine der schönsten Anlagen von Tropenpflanzen, namentlich verschiedenen Palmenarten, in Nordafrika.

Man hat nur seine Karte abzugeben und wird dann auf peinlich sauber gehaltenen, mit rotem feinkörnigem Sand bestreuten Wegen in dem ca. 10 Hektaren umfassenden Versuchsgarten herumgeführt.

Lauschige Plätzchen, von gewaltigen Palmen, Tulpenbäumen, Yuccas ꝛc. umsäumte sammetne Wiesen, dann wieder ein überraschender Ausblick auf die Wüste, bilden Anziehungspunkte, deren Zauber man Mühe hat sich zu entziehen. Man möchte den ganzen Tag in diesem saftigen Grün sitzen bleiben.

Unser Begleiter, ein in äußerst saubere schneeweiße Gewänder gehüllter und weißbeturbanter arabischer Diener von sehr feinen Umgangsformen, machte uns auf zwei Palmen aufmerksam, welche, aus dem tropischen Centralafrika herbeigebracht, die einzigen dieser Art in ganz Algier seien.

Versuche, sie im botanischen Garten der Stadt Algier zu akklimatisieren, seien mißglückt.

Er machte uns auch mit der Art und Weise der künstlichen Begattung der Dattelpalmen bekannt. Zur Zeit der Reife wird ein Fruchtschoß einer männlichen Palme entnommen und nach Art des Okulierens mit dem Blütenkolben einer weiblichen Palme verbunden. Dadurch soll die Fruchtbarkeit der Dattelpalme außerordentlich vermehrt und ein viel größerer Ertrag erzielt werden, als wenn man sich nur auf die natürliche Befruchtung verläßt.

Es ist den Dienern streng untersagt, Trinkgelder anzunehmen. Da jedoch dem Araber das Bakschisch zur anderen Natur geworden ist, muß man eben einen lauschigen Winkel, wohin keine Auge dringt, benützen, wenn man seinen Obolus an den Mann bringen will.

Einen seltsamen Kontrast zu diesem prachtvollen Garten bildet das gegenüberliegende Negerdorf. Man glaubt zuerst eine einzige große Lehmfestung vor sich zu haben, bis man beim Näherkommen Spalten entdeckt, welche sich bei genauerer Untersuchung als ganz schmale Gäßchen erweisen, aus welchen ein Rudel schwarzer, halbschwarzer und zweifelhaft weißer in Lumpen gehüllter Rangen und Mädchen herausstürzen und uns mit ihrem fortwährenden: donnes-moi un sou! in unseren Betrachtungen stören.

Ob wir uns in diese Gäßchen hinein wagen sollten?! Es konnte ja höchstens unsere Geruchsorgane in unangenehme Mitleidenschaft ziehen und daran waren wir nachgerade gewöhnt worden.

Also, immer rinn ins Vergnügen!

Daß wir uns förmlich zwischen dem Unrat aller Art hindurch balancieren mußten, wäre noch angegangen, wenn wir nur nicht fortwährend von der bakschischkläffenden Meute verfolgt worden wären. Wenn man Einem dieser Sprößlinge einen sou verabreicht, so steckt er ihn sofort ins Maul und bettelt nach einem zweiten und so würde es fort gehen bis ins Unaufhörliche, wenn man nicht dann und wann barsch drein führe.

In dem Vorraum einer Wohnung standen sich drei Weiber gegenüber, welche sich in eintöniger Weise anstellten, wobei sie die Hände vorwarfen mit einer Gebärde,

als ob sie sich die Haare ausraufen oder sich gegenseitig
in die Haare geraten wollten und sich im Rumpfbeugen
übten. Jede schrie die Andere an, die in gleicher Weise
antwortete, immer dieselbe einförmige Phrase. Es waren
Klageweiber, welche einen toten Neger beweinten.

Wir waren froh, als wir diesem Labyrinth entronnen
waren und wieder Naturluft einatmen konnten.

Wir besteigen nun die Straßenbahn, die uns nach dem
zwei Kilometer entfernten „vieux Biskra" führt, indem
sie der Straße nach Tugurt folgt.

Neben mir sitzt ein nacktfüßiger Araber, dessen Füße
in den bekannten gelben oder roten Schlappen stecken.
Ein schon ziemlich gebrauchter weißwollener Burnus um-
hüllt seine Glieder.

Ich hätte ihn für irgend einen Kameltreiber gehalten,
wenn mich sein mit Gold und Silber wohl gespicktes Porte-
monnaie, das er beim Bezahlen der Taxe herauszog, nicht
eines Besseren belehrt hätte.

„Der reichste Dattelpalmenbesitzer von vieux Biskra"
raunte mir der französische Billeteur ins Ohr, als er
meinen einigermaßen erstaunten von dem Portemonnaie
auf dessen Inhaber abschweifenden Blick gewahrte.

Vor der alten Türkenfestung machte die Bahn Halt
und wir besichtigten zuerst diese Antiquität.

Diese mit hohen Wällen und Lehmmauern umgebene
sehr umfangreiche Festung diente zur Abwehr der räube-
rischen Einfälle der Wüstenaraber. Sie bietet jetzt noch in
ihren gewaltigen Dimensionen, trotzdem die Vorwerke,
Bastionen und Citadelle nur noch Ruinentrümmer bilden,
einen imposanten Anblick.

Und nun vieux Biskra, dieses von verschiedenen Araberstämmen bewohnte große Walddorf. Wenn die Häuser nicht von Außen einen so verlotterten Anblick gewähren würden, könnte man sich in ein in einen ungeheuren Park hinein gebautes Villenquartier versetzt glauben; denn der ganze Ort liegt mitten in einem Hain von 150000 Dattelpalmen und 6000 Olivenbäumen versteckt.

Der Ued Biskra, der diese Oase durchfließt, wird in zahlreichen Kanälen in die durch niedrige Lehmmauern von einander abgeschlossenen Grundstücke abgeleitet, zur Bewässerung der Palmen. Um jede Palme wird ein Graben gezogen, zu welchem ein kleiner Kanal führt, so daß sie beständig von Wasser umflossen wird.

Jeder Neuling, der ein mohamedanisches Land bereist, besucht in erster Linie die Moscheen, wo sie zugänglich sind.

So auch wir in Alt-Biskra.

Wir kletterten in die Spitze des Minaret hinauf: Plötzlich tönte lustiges helles Lachen zu uns herauf und wir gewahrten auf dem flachen Dache eines Hauses ein halbes Dutzend Araber Frauen und Mädchen, welche ganz fröhlich zu uns herauf winkten. Daß man Artigkeit mit Artigkeit vergelten muß, ist selbstverständlich und so entspann sich hinüber und herüber eine amüsante drahtlose Telegraphensprache. Die Arglosen! Wenn ihr Herr und Gebieter sie dabei überrascht hätte, wie sie unverschleiert mit Giaurs Hand — grüße austauschten, welche Othelloscene hätte es nicht absetzen können. Vielleicht war es gar jener reiche Dattelpalmenbesitzer, mit dem wir hinaus gefahren waren.

Leider mußten wir wieder herunterſteigen und uns damit begnügen, an der angenehmen Erinnerung zu zehren.

Etwas ſonderbar berührte uns der Kontraſt doch, als wir von Außen die baufälligen, ſchmutzigbraunen Lehmgebäude mit dem lieblichen Bilde, das ſie im Innern bargen, dieſen wie buntfarbig ſchillernde Schmetterlinge die hellen Farben ihrer ſeidenen Gewänder in graziöſen Bewegungen im Sonnenglanz zur Schau tragenden und wie fröhliche Kinder, die ihre Freude an einem neuen Spielzeug nicht verhehlen können, mit dem Fremdlingen kolettierenden arabiſchen Frauen auf dem flachen Dache zuſammen zu reimen ſuchten. Es war ihnen gewiß zu gönnen, dieſes harmloſe Vergnügen, das eine kleine Abwechslung in die Abgeſchloſſenheit ihres Haremsdaſeins brachte.

Unſeren reinlichkeitsfanatiſchen, jeden Samstag das Haus zu unterſt zu oberſt kehrenden und Alles herausfegenden Hausfrauen wäre es gewiß ganz erſtaunlich vorgekommen, daß in ſolchen Lehmhütten ſein ſeidene Kleider in den zarteſten Farben ſo ſauber gehalten werden konnten.

Uns war es eigentlich auch ein Rätſel. Man hat das Gefühl, als ob dieſe braungrauen ungeglätteten Lehmmauern alles was mit ihnen in Berührung komme, beſchmieren müßten.

Man darf Biskra nicht verlaſſen, ohne vorher in Sidi Okba geweſen zu ſein. Wie Biskra die politiſche, ſo iſt Sidi Okba die religiöſe Hauptſtadt des Ziban.

Die Diſtanz von Biskra beträgt nur 21 Kilometer, aber in Anbetracht des Umſtandes, daß man die Fahrt nicht auf einer parkettglatten Chauſſée zurücklegen kann,

sondern auf einer Karawanenpiste, muß man schon einen
ganzen Tag zu dieser Reise verwenden.

Proviant für die Mittagsrast läßt man sich vom Hôtelier
einpacken; denn in Sidi Okba gibt es nur eine französische
Buvette, welche den Wein liefert und das Palmengärtchen
zur Verfügung stellt.

Bei hellem Sonnenschein fuhren wir ab und bald
hatten wir die Oase Biskra im Rücken. Südwärts ging
die Fahrt über die Sandkrustenebene, in welche nur hier
und da magere Tamariskensträuche einiges Leben brachten.
Einen außergewöhnlichen Anblick boten die auf das Kommando des Aga aufgebotenen, bald einzeln, bald in
kleiner Truppe aus allen Richtungen der Wüste daher
reitenden Gums, die an der zu Ehren des Wettrennens
stattfindenden schon früher beschriebenen Fantasia teilzu-
nehmen hatten.

Die Reicheren oder Vornehmeren trabten stolz auf
feurigen Berberhengsten daher, die moderne zweiläufige
Flinte en bandoulière auf dem Rücken, die meisten aber
auf mageren, struppigen, unscheinbaren Rosinanten und
statt des Lefaucheux die lange, arabische einläufige Flinte.
Die Metamorphose, welche jedoch diese Klepper in der
Fantasia dem Auge darboten, habe ich schon beschrieben.

Einheitlich waren diese Reiter alle in der Kleidung;
denn Alle waren in den weißen Burnus eingehüllt, mit
über den Kopf gezogener Kapuze. Bei Vielen war der
untere Teil des Gesichtes zum Schutze gegen den Sand
verhüllt, so daß nur die schwarzen Augen aus der weißen
Umrahmung herausblitzten.

Unsere ganze Fahrt wurde durch diese unseren Pfad durchkreuzenden oder am fernen Horizont auftauchenden Wüstenreiter belebt.

Und nun fuhren wir in die heilige Stadt ein, am Eingang von einem Rudel mit Rudimenten von Kleidung bedeckten Knaben und Mädchen empfangen, welche uns unisono: „donnes-moi un sou!" zuschrieen, indem sie dem Wagen nachrannten, bis er vor der französischen Kneipe anhielt. Dieses „donnes-moi un sou" sollte uns nie mehr verlassen. —

Mit der Besichtigung der Stadt waren wir bald fertig; denn außer der Moschee, der ältesten Algiers, in welcher der von den Berbern um das Jahr 680 n. Chr. getötete Emir Okba ben Nafe begraben liegt, bietet sie weiter nichts Interessantes.

An einem Pfeiler kann man die älteste arabische Inschrift Algiers lesen: Hada kobr Okba ben Nafe rhumah Allah (Das ist das Grab Okba's, des Sohnes von Nafe; möge Gott ihn in Gnaden aufnehmen). Als Merkwürdigkeit wird noch eine uralte Türe mit eigenartiger Schnitzerei gezeigt.

Das Grab Okba's ist eine einfache Kubba, eine Art großer Truhe, über welcher mit arabischen Inschriften gestickte seidene Decken ausgebreitet sind.

Bis dahin war alles glatt abgelaufen. Nun aber verbreitete sich von den fremden Giaurs Unheil, ja beinahe Religionsschändung in die geweihte Stätte und das ereignete sich folgendermaßen:

Eben als wir die Moschee verlassen wollten, hörten wir ein Gemurmel von Knabenstimmen über unseren Köpfen und zwischen hinein eine männliche Stimme.

Als wir eine steinerne Treppe hinauf dem Geplapper nachgingen, befanden wir uns plötzlich in einer Knabenschule.

Nun zog ich ein Blechschächtelchen aus der Tasche und reichte dem mit kreuzweis übergeschlagenen Beinen zunächst vor mir Sitzenden, einem hübschen Araberjungen eine Hustentablette, die er sofort laut schmalzend verschlog.

Das sehen, emporschnellen und mich umringen, war das Werk eines Augenblickes von Seiten des lernbegierigen Aufwuchses. Von allen Seiten streckten sich mir Hände entgegen; jeder wollte seine Tablette haben und dann noch eine und noch eine.

Alle Disziplin ging aus Rand und Band und als das Büchschen leer war und sou-Stücke an die Reihe kamen, da ließ sich auch der letzte nicht mehr zurückhalten.

Der beturbante Lehrer hatte trotz seiner langen Fuchtel absolut keine Macht mehr über seine Jungen.

Das wäre nun nicht so schrecklich gewesen; aber der größte Skandal folgte nach.

Nachdem wir wieder die Treppe heruntergestiegen, verweilten wir noch einige Augenblicke im Innern der Moschee, als plötzlich der Herr Lehrer mit tiefernstem Gesichtsausdruck vor uns auftauchte und uns eine Handvoll sou-Stücke entgegenstreckte.

In gebrochenem Französisch verlangte er dagegen Rückerstattung von Koranblättern, welche dann auch langsam von meinen Begleitern aus verschiedenen Rocktaschen hervorgesucht wurden. Auch das letzte wollte er haben; da gab es kein Verheimlichen.

Während dem ich Hustentabletten austeilte, hatten einige jedenfalls kaufmännisch veranlagte Schläulinge unter der Schuljugend an meine Begleiter die heiligen Koranblätter, aus welchen sie ihre Lektion zu lernen hatten, gegen sou-Stücke verkümmelt.

Auf Rückgabe der sous wurde verzichtet.

Weiter hatte der Frevel keine Folgen; wenigstens für uns nicht.

Ob für die Jungen, konnten wir nicht mehr hören, da wir nach diesem Abenteuer dem Marktplatze zusteuerten.

Der holperige Marktplatz wird von kleinen Buden eingerahmt, in welchen fleißig gearbeitet wird. In einer Schuhmacherbude konnten wir um billigen Preis die bekannten gelben arabischen Schlappschuhe erhandeln.

Unstreitig der angenehmste Teil unseres Ausfluges war die Frühstücksrast, welche wir in dem Palmengärtchen hielten, nicht sowohl wegen den leiblichen Genüssen, die uns für die mangelhaften Sehenswürdigkeiten, die idealen Genüsse, deren wir in Sidi Okba leider nur unter äußerster Anstrengung unserer Phantasie einigermaßen inne werden konnten, entschädigen sollten; denn auch diese ersteren waren außerordentlich bescheidener Natur; als vielmehr wegen der idyllischen Ruhe, deren wir in gemütlicher Unterhaltung bei einem Fläschchen Rotwein im Schatten der Palmen in einer lieblichen Oase der Sahara pflegen durften.

Die französische Wirtin hatte uns ein Tischchen sauber gedeckt und so lebten wir herrlich von den kalten Mittagsresten, die unser Gasthofwirt uns vorsorglich eingepackt hatte. Zum Schlusse eine gute Cigarre zu einem Täßchen ächt arabischen schwarzen Kaffee, durch die Palmenwedel

glänzender Sonnenschein, mitten in saftigstem Grün An-
fangs Februar und dabei das schadenfrohe Gefühl, daß zu
Hause nun Alles bocksteif gefroren war, während wir hier
ein Sonnenbad nahmen. Alles das wirkte herzerhebend
und verlieh unserer frugalen Mahlzeit einen unbeschreib-
lichen Reiz.

Als wir abends wieder in unserem Gasthof hinter
einem Dattelschnaps saßen, hatten wir alle das Bewußtsein,
ein gutes Tagewerk an uns vollbracht zu haben.

Biskra hatten wir bald nach allen Richtungen durch-
forscht, und sogar nach den Weisungen des Botanikers,
Herrn Prof. Schweinfurth, auf einem benachbarten Hügel
Rosen von Jericho aufgefunden und massenhaft gepflückt,
eigentlich nur der Merkwürdigkeit wegen, denn diese nur
an steiniger, grieniger Halde gedeihende Blume gleicht nur
einem unscheinbaren blaugrauen, kleinen Distelknopf, der
die Eigenschaft besitzt, sich im Wasser zu entfalten, sonst
aber nur für den Botaniker dem Laien verborgene Schön-
heiten haben mag.

Auch die Tänze der Ouled Neïl hatten wir satt. Wenn
man ein oder zweimal auf einer Bank oder Pritsche in
einem arabischen Kaffee unter lauter Burnusmenschen ge-
hockt und diesen Tänzen zugeschaut hat, so kriegt man
genug davon. Der Tanz besteht meistens in einem rhyt-
mischen Vor- und Rückwärtsschreiten, genauer gesagt Sich-
vorwärtsschieben, wobei der Oberkörper unbeweglich bleibt
und nur die Hüften eine kreisförmige Bewegung beschreiben.
Die Arme bleiben wagrecht ausgebreitet, die Hände machen
graziöse Bewegungen oder tändeln mit einem seidenen

Tüchlein, das hin- und hergeschwungen, über die Schulter geschlagen oder mit den Lippen festgehalten wird.

Den Sinn dieser Gesten konnten wir nicht erfassen und gaben uns auch keine Mühe, sie zu erforschen, so kindlich kamen sie uns vor.

Derweil spielt die schreckliche monotone arabische Musik, welche man nicht mehr aus den Ohren herausbringt, so lange man in jenen Regionen weilt. Diese näselnde Clarinette, das Gequick der Fibel, welche beständig nur auf einer Saite in für uns unverständlichen Mollaccorden gespielt und als Basis die tönerne Handpauke, die mit den Fingern bearbeitet wird. Nur gegen den Schluß wird der Tanz lebhafter; die Tänzerin beugt sich vor- und rückwärts, macht einige groteske Umdrehungen und aus ist's.

Auf nach Tugurt.

Am Mittwoch den 6. Februar morgens halb 3 Uhr standen drei vermummte Gestalten vor dem Postbureau und erwarteten die Schnellpost, welche um diese Zeit nach der Oase Tugurt abfahren sollte.

Es waren dies ein Dr. med. Augenarzt an der Polyklinik der Universität Kiel, ein Dr. phil. aus Jülich, Reporter franz. Blätter in Paris und ein titelloser Basler in Pumphosen und Ledergamaschen.

Die laue Nachtluft ließ auf keine sonderliche Kälte schließen, nichtsdestoweniger hatten wir zum Schutz gegen die Frühmorgenkühle für jeden Reisenden zwei dicke Wolldecken in Bereitschaft, über die wir in der Folge außerordentlich froh waren.

Endlich rollte das Vehikel daher, eine seitlich offene Landpost mit Tuchvorhängen und Decke zum Schutz gegen Sonne und etwaigen Regen und mit zwei für je drei Personen berechneten Sitzen. Die Berechnung wäre für Normalmenschen richtig gewesen, stimmte aber nicht ganz mit dem Volumen der Herren Reisenden überein.

Auf dem Vordersitz nahmen der Kutscher, ein Hufschmied, der unterwegs und in Tugurt ca. 30 Pferde und Maultiere zu beschlagen hatte, und der Augenarzt Platz. Das ging noch an, denn keiner von den Dreien konnte sich eines Embonpoint rühmen, waren es doch noch ziemlich junge Leute.

Dann aber kamen auf den Hintersitz rechts ein Adjutant der Spahi, ein mit einem ordentlichen Schmerbäuchlein behafteter Franzose. Die Kavallerie, namentlich die Wüstenreiterei, kann sich sonst nicht besonderer Wohlbeleibtheit rühmen, aber unser Reisegefährte war eben Adjutant-Unteroffizier und da die Kompagniemutter sich in der Regel ohne Ausnahme sehr wohl zu pflegen geruht, so sah auch diese Schwadronsmama nach allen Seiten wohl abgerundet aus.

In die Mitte hatten wir den in einen Pelzrock gekleideten Reporter genommen und die linke Flanke bildete meine Korpulenz.

Als ich mich auf meinen Sitz niederzwängte, war ein angstbeklommenes Ächzen und Quitschen vernehmbar, gerade wie wenn ein gefülltes Luftkissen plötzlich zusammengepreßt wird und die Luft aus enger Ritze entweichen muß. Es war unser Reporter, dem ich die Luft zu Mund und Nase herausgepreßt hatte.

So saßen wir eng zusammengekeilt und in unsere Wollbecken gehüllt, so daß uns, namentlich als die Sonnenstrahlen ihren Wärmeeffekt ausübten, der Tran aus allen Poren rann.

Ich hing immer mit der Hälfte meiner Dickleibigkeit aus dem Wagen heraus und derart mußte ich aushalten von Morgens halb 4 bis Abends 7 Uhr, ein schmerzenreiches Vergnügen.

Der Kutscher schwang die Peitsche, die drei nebeneinander eingespannten Pferde zogen an und im Galopp ging es hinaus in die Nacht.

Wir nahmen mit innigem Vergnügen wahr, daß wir auf schöner glatter Chaussee dahinsprengten, so daß es daher trotz der Zusammenquetscherei noch ordentlich zum Ausstehen war. Bald aber nahm die Straße den Charakter einer Karawanenpiste an, die schließlich nur noch in eine von den vielen Kamelen breit getretene, kaum wahrnehmbare Fährte ausartete.

Hier ein Loch, dort ein Hügel, hier ein Graben, dort ein ausgefahrenes Geleise; schwankend, stoßend, kollernd, nur ja nie eben hinweg, aber immer vorwärts, vorwärts in die Nacht hinein rollte der Wagen weiter, die Insaßen rüttelnd und schüttelnd, als ob sie Mixturflaschen wären.

Fortwährend suchte sich der Wagen neue Bahnen; denn wenn der Weg derart zusammengekarrt ist, daß sich die Räder bis an die Nabe einschneiden, biegen die Wagen einfach seitlich ab und bahnen sich neue Wege, und wenn es dort nicht mehr geht, kehren sie auf das alte Geleise zurück, das inzwischen von den Kamelen wieder etwas zusammengetreten worden ist.

Anfänglich gaben wir uns einem leichten Schlummer hin; aber nicht lange, hoppla, hopp! flogen wir an die Decke oder gegeneinander, wie die Kegel, wenn die Kugel in das Ries hinein fliegt und aus war's mit der kümmerlichen Nachtruhe.

Über eine weite Ebene, auf welcher Tamariskenbüsche die einzige Spur von Vegetation bilden, ging es dahin, immer trab, trab, hopp, hopp und eintönig erscholl das aufmunternde „Hüh!" des Kutschers in die Nacht hinein.

Die Tamarisken sind in der Wüste das einzige Kamelfutter, jedenfalls eine rauhe Nahrung; jeder Strauch bildet für sich einen kleinen Hügel, so daß die Wüste hier viel Aehnlichkeit mit einem unregelmäßig angebauten Kartoffelacker hat. Dazwischen nichts als Sand und Sand, bald in Krustenform, bald als Flugsand.

Hier und da zeigten aufflackernde Lagerfeuer die Schlafstellen der Wüstenaraber an.

Noch eine sandige Anhöhe hinan und wir waren bei der ersten Station Saada angelangt, welche den Anfang des sich nun weit hin erstreckenden ersten höheren Plateau macht.

Nachdem die drei Pferde durch frische ersetzt worden waren, fuhren wir wieder ab. Es war 6 Uhr 40 Minuten morgens.

Allmählich rötete sich der östliche Horizont und der schöne Morgenstern, der bisher in unvergleichlicher Helle und Klarheit geleuchtet hatte, verblaßte langsam.

Jetzt tauchte der Sonnenball mächtig groß am Rande des Wüstenmeeres empor und sandte seine Strahlen über die unermeßliche Ebene der Sahara.

5

Wir hatten uns kaum eine Weile an dem wunder=
schönen Anblick geweidet, als plötzlich der Kutscher anhielt
und eine Flinte aus dem Futteral zog. Ein Trupp von
7 Gazellen hatte unsern Weg gekreuzt und beguckte uns
verwundert aus einer Entfernung von etwa 60 Metern.

Ein Schuß und dahin galoppierten die zierlichen,
rötlichbefrackten Tierchen, uns bei jedem Sprung über die
Tamariskenbüsche die blendend weiße Bauchseite zeigend.
Auf der Strecke blieb keines, obwohl eines derselben
etwas hinter den andern zurück zu bleiben schien.

Unter „hüh" und Peitschengeklatsch ging es immer weiter;
langsam wurden wir von den Sonnenstrahlen erwärmt,
bis wir endlich nun 8. 30 bei der ersten längeren Halt=
station Sehegga eintrafen, wo eine Pause von 3 ¹/₂ Stunden
gemacht wurde, weil der Hufschmied hier sechs Pferde zu
beschlagen hatte.

Um 9 Uhr nahmen wir unser Frühstück, bestehend aus
einer alten zähen Henne, einigen Eiern, einem Laib Brot
und einigen Flaschen Wein (Abstinenten sind hier nur die
Araber), im Freien vor der Stallung, welche zugleich die
Wohnung der den Pferdedienst besorgenden Araber um=
schloß, und zwar erlaubten wir uns den Luxus einiger
zerbrochener Gartenstühle und eines runden Blechtischchens
aus dem Mobiliar des Fremdensalons dieser Araber.

Eine alte Eule von Araberin in schwefelgelbem, braun=
betupftem, in reichem Faltenwurf herunterfallenden Kattun=
gewand, das Kopftuch mit hinten herunterflatternder
Schleppe malerisch um das edle, von Pockennarben ent=
stellte Haupt geschlungen, bereitete uns zum Schluß einen
gar nicht üblen arabischen Kaffee. Das zur Zubereitung

verwendete Waſſer hatten wir vorher nicht auf ſeine
chemiſche Reinheit geprüft und das war gut; der appetit-
liche Leſer wird ſpäter ſchon noch erfahren warum.

Währenddem wir frühſtückten, machte unſer Kutſcher
Jagd auf Wüſtenſpatzen, welche ſich in einem mageren
Wäldchen, das ein arteſiſcher Brunnen in der Nähe aus
dem Boden gezaubert hatte, herumtummelten. Sie waren
jedoch ſo ſcheu, daß er zum Schuß nicht nahe genug heran
kommen konnte.

Bis der Wagen angeſpannt war, ſtattete ich noch zwei
von Wüſtenarabern bewohnten Lehmhütten, vor welchen
eine niedrige, mit Geſtrüpp gekrönte Lehmmauer einen
kleinen Hofraum bildete, meinen Beſuch ab und ſchaute
dort zu, wie eine an Kinn, Wangen und der Stirne ſowie auf Armen und Händen blau tätowierte Tochter der
Wüſte in einer ziemlich flachen Holzmulde einen Teig
präparierte, in welchen ſie allerlei mir unbekannte in einer
orangegelben Sauce ſchwimmende Gewürze knetete.

Aus dem Teig hoben ſich ihre mit Henna brennend-
rot gefärbten Fingernägel ſehr appetitlich ab.

Mittlerweile war es 12 Uhr geworden und da die
Pferde beſchlagen waren, ging es anfänglich in flottem
Galopp wieder hinaus in die Wüſte.

Schon nach verhältnismäßig kurzer Fahrt zeigte uns
der Kutſcher die nächſte Pferdewechſelſtation, ein am fernen
Horizont ſich ſcharf abhebender turmartiger Bau, deſſen
eine Seite ſenkrecht, die andere ſchräg abfiel. Wie wir
erfuhren, ſteht auf dieſem Bau der optiſche Telegraph,
welcher ſüdlich mit Urlanna und Tugurt und nördlich mit
Biskra in Verbindung ſteht.

In der Nähe befinden sich auch 11 Steinpyramiden, welche die Stelle bezeichnen, wo im Jahre 1864 ein Araberstamm von den Tuareg niedergemetzelt wurde.

Da können wir bald wieder einen zweiten Kaffeehalt machen, meinten wir; aber Stunde über Stunde fuhren wir, immer dasselbe Bild, ohne daß wir merklich näher zu kommen schienen. So klar ist die Wüstenluft, daß sie Gegenstände, einzelne Palmen, Kamele, Esel, in größter Entfernung in schärfster Silhouette und meistens in merkwürdiger Vergrößerung klar erkennen läßt.

Den ganzen Karawanenweg bezeichneten die Gerippe gefallener Kamele, wie sie uns Horace Vernet in seinen Wüstenbildern so realistisch veranschaulicht.

Hatten wir schon im Morgengrauen Karawanen überholt oder gekreuzt, so nahmen dieselben im Laufe des Tages immer mehr zu. Oft bis gegen 100 Stücke zogen diese mit Kisten oder Ballen beladenen Tiere daher. Diejenigen, welche von Biskra kamen, trugen zum großen Teil Kisten, und diejenigen vom Süden her ziehend durchwegs Dattelballen.

Wenn das Kamel zum Zwecke der Beladung zum Niederknieen gezwungen wird, so fängt es an, fürchterlich zu plärren und hört damit nicht auf, so lange man mit Laden beschäftigt ist, wenn ihm auch nicht das mindeste Leid zugefügt wird. Von Zeit zu Zeit wirft es den Kopf zurück, schaut mit wehmütigen Blicken seinen Herrn und Meister an, und heult ihn an, wenn er auch nur ein Knabe ist, gleich als ob ihm die größte Unbill zugefügt würde. Oft aber schnappt es auch zu und ein Biß mit seinen starken Schneidezähnen soll ähnlich wirken, wie wenn man eine gut geschärfte Beißzange zuklemmt.

Ist es dann beladen, so steht es ruhig auf; weg ist sein Weltschmerz und getrost und zufrieden mit seinem Schicksal wandelt es seiner Wege.

Endlich um 3 Uhr erreichten wir die langersehnte Station Kef el Dor oder Kudiat el Dur, nachdem wir vorher noch etwas Wüstenwanderung zu Fuß gekostet hatten; denn da Kef el Dor auf einer Anhöhe liegt, zu welcher ein langsam ansteigender sandiger Weg hinan führt, so mußten wir aussteigen, weil die Räder bis an die Naben im Flugsand einsanken.

Hier soll Sidi Okba auf seinem Vorstoß nach dem Süden Halt gemacht und nachdem er die weithin sich erstreckende Wüstenei lange betrachtet habe, seinen Gaul gewendet haben. Es gelüstete ihn nicht nach Weiterem. Daher der Ausdruck Dur, welcher „Zügelwende" bedeute.

Nachdem die Pferde gewechselt, fuhren wir nach dem Schott Meruan hinunter.

Welch' wunderbarer Anblick fesselte da ganz unvermutet unser Auge!

Vor uns lag weit ausgedehnt ein gewaltiges, sich im fernen Horizont verlierendes Seebecken, der Schott Meruan.

Bläuliches, in der Ferne spiegelglänzend schimmerndes Wasser, in welches wir nun direkte hinein fuhren, schien diese weite Fläche zu bedecken. In der Ferne bildeten Hafendämme, Mauern und Festungswerke künstliche Anlagen; Palmen und andere gewaltige Riesenbäume zogen sich auf langgestreckten Landzungen in die Gewässer hinein.

„Qu'est-ce que c'est que ces grands arbres?" fragte der Adjutant den Kutscher. „Ce n'est rien," erwiderte derselbe.

„N'allez donc pas nous conduire directement dans l'eau," ermahnte ich ihn, als ich bemerkte, daß er schnurstracks darauf los fuhr. Er würdigte mich nicht einmal einer Antwort und lachte nur so überlegen vor sich hin; da, ein Peitschenknall und wir waren mitten drin.

Urplötzlich, wie ein Zaubermärchen, schwand Alles dahin; das Gewässer verwandelte sich in eine trockene, mit weißer Salpetererde wie mit Zucker überstreute Ebene. Diese Schotts, welche sich hunderte von Kilometer weit bis nach Tunis hinein ziehen, werden nur in der Regenzeit von Wasser überflutet. Während der trockenen Zeit ist die Fläche mit einer bläulichweiß schimmernden feinen Natronkruste überzogen, was bis in die unmittelbarste Nähe die Illusion eines Wasserbeckens erzeugt.

Die Palmen und Riesenbäume selbst schrumpften, als wir denselben näher kamen, in niederes Gestrüpp zusammen und gar die gewaltigen Bauwerke waren nur noch fußhohe Sandwellen.

Wir waren durch Luftspiegelei getäuscht worden; deßhalb auch das ironische Lächeln des Kutschers.

Nun aber fuhren wir auf breiter, sauber angelegter Allee in eine wirkliche prächtige Palmenpflanzung hinein. Es war die von der Société algérienne d'agriculture angelegte, mit Hilfe artesischer Brunnen künstlich bewässerte große Palmenpflanzung der Oase El ou Rir.

Schon die Sorgfalt der Anpflanzung, die peinliche Reinlichkeit der Chaussee, die Sauberkeit zwischen den

Bäumen zeigten an, daß eine europäische Leitung hier tätig war. Noch eine Straßenwendung und wir hielten vor einem blendend weißen, weitläufig im Geviert angelegten arabischen Bau, der Wohnung des Herrn Direktors.

Dieser Letztere, ein sehr feiner, höflicher Franzose, trat uns vor dem Eingangstor entgegen, um Korrespondenzen in Empfang zu nehmen.

Auf meine Frage, ob man einen Kaffee erhalten könne, erwiderte er, daß Kaffee nicht bereit sei, daß er sich aber ein Vergnügen daraus mache, uns gracieusement einen Absynth zu offerieren. Hier wurde also nicht gewirtet.

Wer wird auch in einer Wüstenoase einem in so liebenswürdiger Weise gemachten Anerbieten widerstehen können.

Wir stiegen daher von dem Wagen, traten in den geräumigen Hofraum, der von Gebäulichkeiten festungsartig umrahmt war und in welchem eine Anzahl Araberweiber auf Matten kauernd beschäftigt waren, Datteln zu sortieren und stiegen auf einer langen, an der Mauer angebrachten Treppe in die im ersten Stock gelegene Wohnung, in welcher sich Frau und Kinder, sowie ein Fräulein, die Schwägerin des Direktors, befanden.

Und nun wurde mit Vergnügen das heimatliche Getränk, Absynthe Pernoud, geschlürft. Es schien der Familie des Direktors, welche mit Ausnahme der heißen Sommermonate das ganze Jahr in dieser kastellartigen Baute zubringen muß, ersichtlich Freude zu bereiten, zur Abwechslung wieder einmal ein halbes Stündchen mit Europäern zubringen zu können.

Der Kutscher mahnte zum Aufbruch. Es war mittlerweile halb 6 Uhr geworden. Endlich bei stockdunkler Nacht
lenkten wir nach mehr als stündiger Fahrt wieder in eine
Oase hinein, von dem ringsum bis in weite Fernen
erschallenden widerwärtigen Gekläffe der arabischen Wacht-
hunde empfangen.

Es war zum Verwundern, wie der Kutscher in den
engen, beidseitig von Palmenanlagen eingefaßten Gassen
sich zurecht finden konnte, ohne, namentlich bei der
Wendung um scharfe Straßenecken, nicht da und dort
eine der den Weg flankierenden Lehmmauern einzurennen.

Doch jetzt leuchtet eine Laterne auf und wir fahren
in den Torbogen eines dieser burgartigen arabischen
Gebäude.

Wir sind im Hofe des Endzieles unserer heutigen
Fahrt, in der Station M'rayer, halbwegs Tugurt.

Von Morgens halb 4 Uhr bis Abends 7 Uhr in unserem
Kasten herumgebuddelt, klettern wir mit steifen Beinen
herunter und begeben uns in die Verpflegung eines
Elsäßers aus Schlettstadt, Namens Schäfer, welcher uns
Zimmer anwies, d. h. zu ebener Erde gelegene, weiß-
getünchte, mit Backsteinen gepflasterte Kellerräume, wo
wir aber das Nötigste vorfanden, dessen wir nun hauptsächlich bedurften, nämlich ein gutes Bett.

Währenddem Papa Schäfer das Nachtessen bereitete,
war es ihm eine Wonne mit mir einige Worte „elsäßerditsch"
wechseln zu können. Seit 30 Jahren war er in Algier.

„Ob man im Boue-aigle noch immer gut speise?"
„Un die schöne Promenade uf die Hohkengsburg (hohe
Königsburg). Ja, ja, s'isch ebe doch schöen im Elsaß". —

Das sehr gut zubereitete Nachtessen mundete uns vor=
züglich und da wir am andern Morgen wieder um 3 Uhr
auf den Beinen sein mußten, begaben wir uns bald zur
Ruhe. Das Hundegekläff, welches die ganze Nacht hin=
durch von den Hütern der arabischen Lehmhütten und
Zeltwohnungen, einem Mittelding zwischen Spitzer und
Schakal, in unangenehmer Weise die Nachtruhe störte,
verhinderte mich nicht lange, einen gehörigen Faden zu
spinnen.

Kaum recht eingeschlafen, klopft es. Schon halb drei
Uhr?! Wieder hinaus in die lauwarme, sternhelle Nacht.
Von Viertelstunde zu Viertelstunde nimmt die Kälte jedoch
zu und wir wickeln uns wie Mumien bis über den Kopf
in unsere Pferdedecken.

Wieder lohten da und dort Feuer auf, angezündet
von Arabern vor ihren Zelten oder am Wege, welche sich
fröstelnd, nur in weiße Lacken gehüllt, daran zu erwärmen
suchten.

Einen prächtigeren Sonnenaufgang als an jenem
Morgen habe ich noch nie gesehen, weder auf dem Rigi
noch auf dem Pilatus.

Über dem östlichen Horizont hatten sich einige Wolken=
streifen gelagert und als der Sonnenball vor seinem
Erscheinen seine Strahlen entsandte, leuchteten diese
Wolkenzüge plötzlich in der ganzen Farbenskala, vom
zartesten Goldgelb durch Orange bis zum brennendsten
Purpurrot auf.

Als ob ein Strom glühenden Erzes über den Himmel
ausgegossen wäre, erglänzten diese Wasserdünste, dazwischen
zogen sich Streifen des im hellsten Azurblau schimmernden

Himmels, von welchen sich das brennende, feurige Rot um so effektvoller abhob.

Dann erhob sich majestätisch der rotglühende Ball über dem Rand der weiten Wüste und sandte seine Strahlen über die unendlichen Sandflächen, so daß dieselben wie ein goldglitzerndes Meer aufleuchteten.

Lange weidete ich mich an diesem herrlichen Anblick, da — hüh! und ich schnellte wie ein wohlgetroffener Football an die Wagendecke empor.

Wir halten um 6 Uhr zum Pferdewechsel an der Station el Berd, in der Nähe des Arabernestes Nsa-ben-Rsig und fahren um 8. 45 in die schöne Palmenoase Urlanna.

In der Mitte derselben liegt ein lieblicher kleiner See, in dem sich Fische herumtummeln.

Der Caïd (Distriktsvorsteher), ein ehrwürdiger Araber mit weißem Bart und freundlichem Gesichtsausdruck, nimmt Briefe in Empfang und gibt welche zur Beförderung auf.

Er möchte gerne mitfahren; es gibt aber leider keinen Platz mehr und so muß er sich gedulden bis zum andern Tage, was aber bei einem Araber nichts zu bedeuten hat; denn der Begriff: „time is money" ist für sie doch nur eine leere Phrase.

An diese Oase Urlanna schließt sich nach kurzem Unterbruch diejenige von Dschamma an.

Auch auf diesen Oasen hat dieselbe algerische Gesellschaft großartige Palmengärten angelegt, welche sich durch das gute Bewässerungssystem und die vorzügliche Ordnung und Sauberkeit auszeichnen.

Abgesehen von dem Gewinn, den sie daraus zieht, erfüllt sie damit auch eine sehr wichtige kulturelle Aufgabe; denn sie zieht damit diese Wüstenaraber zur Arbeitsamkeit heran und indem sie ihnen einen für ihre Verhältnisse ordentlichen Verdienst sichert, bringt sie die Aufstandsgelüste, den Haß gegen die Fremden zum Schweigen.

Nebst dieser Gesellschaft besitzt der frühere Aga von Tugurt, Mohammed-ben-Drys, und namentlich aber die Compagnie Fau, Foureau & Cie. eine bedeutende Zahl Palmenpflanzungen.

Der ganze mit dem Namen Ued Rir bezeichnete Distrikt südlich von Biskra soll 43 Oasen mit 250,000 Palmen und 100,000 andern Fruchtbäumen umfassen.

Nun geht es aber längs eines mit wirklichem Wasser überfluteten weit ausgedehnten Schotts und nachdem wir denselben im Rücken gelassen hatten, wieder durch einen trockenen, bis wir endlich um 9 Uhr die auf einer Anhöhe gelegene Pferdewechselstation Sidi Amran erreichen.

Das Frühstück, das wir hier einnahmen, bestand dieses Mal aus einem Urgroßvater von einem Hahn, den, in Ermangelung eines Bessern, meine Reisegefährten mit den barocksten Wüstenwitzen würzten. Auf den über dem Sande ausgebreiteten Wolldecken lagernd, nahmen wir behaglich ein Sonnenbad. Zu Hause sollen um dieselbe Zeit die Sonnenstrahlen festgefroren sein.

Ein französisches Detachement des Genie unter Führung von Unteroffizieren, welches sich auf der Rückreise von Uargla her befand und schon mehrere Wochen unterwegs war, eine beschwerliche Wüstenwanderung, wie wir es an uns selbst erfahren hatten, wenn wir hier und da

zu Fuß durch den Sand waten mußten, und dem die
Aufgabe oblag, die Telegraphenlinie in Ordnung zu halten,
machte daselbst ebenfalls um einen alten arabischen Sod-
brunnen Rasttag.

Die Soldaten waren von ihrem Aufenthalt in Algier
gar nicht sonderlich erbaut, am allerwenigsten von dem
Herumreisen in der Wüste, und sehnten sich sehr nach
Frankreich zurück.

In der Nähe befindet sich einer der ersten artesischen
Brunnen, der eine Oase von ca. 12000 Palmen speisen
soll.

Auch diese Pferdewechselstation bestand wie alle be-
deutenderen, die zugleich als Raststationen für die Truppen
benützt werden, aus einem großen, festungsartigen, viereckigen Gehöft, das einen Hofraum umschließt, in dem sich
die vornen offenen Pferdestände befinden.

Da wir bis 11 Uhr Zeit hatten, machte ich einen
kleinen Abstecher durch den Sand in die auf einer gegenüberliegenden Anhöhe sich hinziehende Ortschaft, auf deren
höchstem Punkte man im Begriffe war, eine Moschee zu
erbauen.

Diese arabischen Ortschaften, ringsum von Sand umgeben, ohne eine Spur von Vegetation, machen einen
eigentümlichen Eindruck und man frägt sich, von was
diese Leute eigentlich leben. Jedenfalls hatten diejenigen
von Sidi Amran Anteil an der vorerwähnten Palmenpflanzung, welche aber von hier aus nicht sichtbar war.

Wie die Hühner stoben die Kinder in die Häuser und
Hofräume, als mein Begleiter und ich unsere Erscheinung
in dem Orte machten und dann starrten uns Kinder und

Frauen von den ebenen Dächern ihrer Behausungen nach,
so lange sie uns erblicken konnten.

Man glaubt in eine Gräberstadt einzutreten, wenn
man einen solchen arabischen Wüstenort besucht, oder noch
bezeichnender wäre der Vergleich mit dem ausgegrabenen
Pompeii.

Totenstille herrscht in den Gassen, schweigend starren
die im Sonnenglast weißgebleichten Mauern der Häuser
den Fremdling an; keine Fensterreihen geben denselben ein
freundlicheres Aussehen; das Ruinenhafte eines großen
Teiles dieser nicht über Erdgeschoß oder etwa noch ein
Stockwerk hohen Häuser erhöht noch diesen Eindruck und
nur die Türöffnungen verraten menschliche Wohnungen.

Hätten nicht die Weiber und Kinder, welche zwischen
den Türspalten hervorlugten oder von den Dächern aus
uns mit den Blicken verfolgten, sowie die mit Baumate-
rialien beladenen Esel, welche den zum Bau der Moschee
bestimmten höchsten Punkt der Ortschaft erklommen und
das die Bauarbeiten begaffende Volk, Zeugnis von Leben
abgelegt, man hätte sich der Illusion hingeben können,
das sich den Sandhügel hinanziehende Städtchen, um
welches ringsum bis in absehbare Ferne, mit Ausnahme
des schon erwähnten mageren Spatzenwäldchens, keine Spur
von Vegetation sondern nur gelber Sand zu erblicken
war, für eine Vision zu halten.

Bei einer offenen Tür erlaubten wir uns einen Einblick in das Innere.

Zuerst tritt man in ein längliches, nach der Hofseite
offenes Vorgemach, dessen Überdachung teilweise, man höre
und staune, von einem regelrecht gemauerten Kreuzgewölbe

getragen wird. Hierauf kommt der Hof, um welchen sich dann die Wohnräume und Stallungen lagern.

So ungefähr bauten ja auch die alten Römer, wie aus den Grundrissen ihrer Trümmerstätte ersichtlich ist.

Um 11 Uhr erfolgte die Abfahrt; immer dieselbe Wüstenfahrt, die allmählich etwas monoton zu wirken beginnt.

Wir steigen eine sanft sich hinanziehende Sandfläche hinauf, als plötzlich vom Rande des Horizontes ein gewaltiges Ungetüm sich in mächtiger Silhuette abhebt.

„Ein wilder Elephant! Es könnte auch ein verrückt gewordenes Kamel sein," meinte einer meiner beiden Reisegefährten. „Fahren Sie man nicht zu dicht dran ran Kutscher; denken Sie an die traurige Jeschichte von dem Mann im Syrierland!"

Der Kutscher aber, ein geborener Algerier, dem der Jargon von Jülich—Cleve—Berg—Mark—Ravensberg—Rabenstein jedenfalls hebräisch vorkam, fuhr dicht dran ran und je näher wir kamen, um so mehr schrumpfte das fürchterliche Ungetüm zusammen und als wir ganz nahe dabei waren und es den Kopf nach uns wandte, schrumpfte auch der Rüssel des Elephanten ein; zwei lange spitze Ohren spielten lustig mit dem Wüstenzephir und wir wurden mit einem freundlichen „J—a, bin auch da" bewillkommt.

Dergestalt wirkt die Klarheit der Luft in der Wüste, daß sie auf eine gewisse Distanz enorm vergrößert.

Nachdem wir die oben beschriebene Anhöhe erstiegen hatten, wurde uns ein prächtiger Rundblick auf die Wüste zu Teil.

Weit weg sah man über das wellenförmige, stellenweise mit niederen Tamariskensträuchen überwachsene Wüstenfeld.

Auch in der unabsehbaren Wüste ist man wie auf einem Schiffe auf offener See beständig das Centrum eines großen Kreises, der mit uns reist. Hier war allerdings der Ring ausgedehnter, der Horizont umkreist den Mittelpunkt in weiterer Entfernung und macht uns das Gefühl des Unendlichen anschaulicher, weil wir auf einem erhöhteren Standpunkt stehen.

Mogar heißt diese Station und in der Nähe befindet sich der Ort M'garin, wo im Jahre 1854 von den Franzosen den Wüstenstämmen der letzte Kampf geliefert wurde, der die Unterwerfung des Ued Rir endgültig besiegelte.

Und wieder ging es in die Wüste hinein, welche von hier an abwechslungsweise kleine Schotts und langgestreckte Dünen bildet.

Nun nähert sich uns eine pittoreske Kavalkade.

Voraus auf schönem Mehari, dem Renner der Wüste, der in seinem feinen weißlichen Wollkleide und mit dem schlanken Gliederbau den eleganten Kameltypus repräsentiert, ein französischer Offizier; mit weißem Tropenhelm bedeckt, einen weißen Schleier vor dem Gesicht, der nur die Augen herausblicken läßt und die Jagdflinte am Sattel baumelnd.

Hinter ihm als Begleitung zwei Spahi, eingehüllt in ihren feuerroten Burnus und unter demselben noch ein langer, faltenreicher weißer Burnus, dessen Kapuze über den gleichfalls schneeweißen mit brauner Binde umwundenen Turban gezogen ist, oder auch über den Rücken hinunter hängt. Die rote mit Bändern und Schnüren verzierte

türkische Jacke, die weiten, faltigen blauen Pumphosen,
welche in weichen, rotledernen, silberbespornten Stiefeln
aufgenommen werden, im Gürtel den Revolver und an
der Seite herunterhängend den glitzernden Säbel vervollständigen das farbenreiche Bild.

Stellt man sich nun diesen Reiter mit dem sonnver-
brannten, energischen Gesicht, sei es ein markiger Kabylen-
oder ein feingeschnittener Araberkopf, auf einem edlen,
arabischen Pferd mit langer, wallender Mähne und eben-
solchem Schweif, Sehnen und Muskeln förmlich vibrierend,
vor, so hat man die schönste Staffage für ein Wüstenbild.

Hinter diesen Reitern kamen mehrere Kamele mit
Stangen und Zelten, Proviant ꝛc. Der Offizier war
jedenfalls auf einer Inspektions- oder Jagdtour begriffen,
wahrscheinlich letzterer, als kleine Abwechslung in dem
erschlaffend wirkenden Soldatenleben auf einsamer Wüsten-
station.

Damit dem Wüstenbild aber auch das düstere Colorit
nicht fehle, erblickten wir dicht neben der Straße liegend
einen sterbenden Esel, den die gefühllosen Araber mit
gebrochenem Bein hatten liegen lassen und der nun seit
einer Woche verhungernd und verdurstend mit dem Tode
kämpfte.

Ich glaubte, daß das Tier zu seinem Vergnügen ein
Sonnenbad nähme und erfuhr leider zu spät diese Leidens-
geschichte eines Eseleins, sonst hätte ich mit einem Revolver-
schuß seinen Qualen ein Ende gemacht.

Der Kutscher hatte es bisher nicht gewagt, das Tier
abzutun, aus Furcht von den Arabern zur Verantwortung
gezogen und zum Schadenersatz angehalten zu werden,

unter der Beschuldigung, einem Eingeborenen einen wertvollen Esel böswilliger Weise erschossen zu haben.

Wir veranlaßten ihn jedoch, am andern Morgen, als
er wieder vorbei fuhr, seine Leiden durch einen Schuß
abzukürzen und auf unserer Rückreise konnten wir es
regungslos, als ob es schliefe, in der Sonne liegen sehen.

Es ist 2 ³/₄ Uhr und wir wechseln zum letzten Male
die Pferde, die sich übrigens auf der letzten Station Mogar
in Maultiere verwandelt hatten.

Dann geht es an dem kleinen, früher schon geschichtlich
erwähnten Flecken M'garin vorüber und nun werden wir
zu unserer Linken von einem so weit das Auge reichte
sich hinstreckenden Palmenwald flankiert, in dessen Saum
sich zierlich ein arabisches Dörfchen mit Moschee und zwei
blendend weißen Marabugräbern, die wunderschön aus
dem saftigen Grün herausstachen, eingenistet hatten.

Nun aber deutete der Kutscher in der Ferne auf eine
festungsartige Linie, die sich, wie mit Bastionen gekrönt,
auf einer Sanddüne hinzieht, auf der linken Seite an den
schon erwähnten Palmenwald sich anlehnend.

Voilà Tugurt! Es war 6 Uhr abends, als wir das
Hochplateau der sanft ansteigenden Anhöhe unter Inan-
spruchnahme der letzten Kräfte unserer Maultiere erreichten.
Auf breiter Straße ging es vorerst an einigen europäischen
Gebäuden, der Post, der Gemeindeschule und den dazu
gehörigen Wohnungen vorbei, als sich nach einer plötzlichen
Straßenwendung ein überraschender Anblick bot.

Wir waren auf den sich in gewaltiger Dimension ausdehnenden Markt- und Sammelplatz der Karawanen ein-
gelenkt. Der ganze große Platz zeigte ein Gewimmel von

6

vielen Hunderten von weißen Burnusmännern, die, um
kleine Lagerfeuer kauernd, um Geld spielten, plauderten,
sich unter Begleitung der arabischen Mandolinen mit
monotonen Weisen die Zeit vertrieben oder in Gruppen
herumstanden. Dazwischen lagerten in aller Gemütlichkeit
Kamele, Esel und Maultiere.

Am andern Tage war nämlich großer Markt; deshalb
diese Volksversammlung, das Zusammenströmen der Wüsten-
söhne aus allen Oasen und Däschen der Sahara bis tief
in die Wüste hinein; denn Tugurt ist das große Karawanen-
centrum dieser Region der Wüste Sahara.

Steifgliederig kletterten wir von unserm Wagen herunter und nahmen uns vor allen Dingen vor, am andern
Morgen gehörig auszuschlafen; denn wenn man von morgens 3 Uhr bis abends 6 Uhr über Löcher, Mulden und
Gräben dahin rasselt, herumgebuddelt und hin und her
geschleudert wird, als ob man ein Dattelballen wäre, so
hat man abends sein gerütteltes Maß voll.

Als vorzügliche Entfettungskur mag eine solche Fahrt
allerdings sehr empfehlenswert sein und in diesem Sinne
faßte ich sie auch auf und fügte mich freundlich lächend,
als wäre ich beim Photographen, in das Unvermeidliche.

Der Wirt zum Hôtel de l'Oasis, der uns nun für
einige Tage in die Pflege zu nehmen hatte, wies mir mein
Zimmer an, d. h. ein Loch wie eine Waschküche im Hofe,
welches so schmal war, daß durch das winzige Fensterchen
kaum eine Spur von Licht in meine Bude fallen konnte.
Der Boden war mit Ziegelsteinen so uneben gepflastert,
daß ich mich heute noch wundere, ohne Beinbruch davon
gekommen zu sein.

Die Türe ließ sich deshalb nur mit großer Kraftan-
strengung annähernd zur Hälfte öffnen, derart, daß ich
mich gerade noch mühselig durchzwängen konnte. Das
Backsteinpflaster war nichtsdestoweniger mit einem kostbaren
arabischen Teppich belegt und was die Hauptsache anbe-
langt, das Bett war groß, weich und sauber.

Nach einem gut gekochten Nachtessen fühlten wir uns
so wohl, daß wir eine Rekognoszierung unseres Stand-
quartiers vorzunehmen beschlossen.

Vor unserm Gasthof zog sich eine lange Arkade vor
der ganzen Häuserreihe hin, ähnlich wie die Lauben in
Bern, ebenso breit, aber wenigstens noch so hoch, daß
man oben den Kopf nicht anschlug und unter diesen
Arkaden reihte sich Kaufladen an Kaufladen, Café an
Café, deren ganze Fassade in einer Eingangsöffnung bestand.

Mit ausgebreiteten Armen konnte man also die beiden
Seitenwände dieser Miniaturlokale berühren. Der Kaffee
aber, den man uns für einen sou die Tasse servierte, war
vorzüglich.

Aus einem gewaltigen Kalkbrennofen mitten in der
Stadt loderte das Feuer in das nächtliche Dunkel hinein,
beleuchtete mit seiner Glut das Gewimmel auf dem Platze
und verlieh den weiß drapierten Arabern, die den Marktplatz noch immer anfüllten, ein gespensterhaftes Aussehen.

Von kleinen Knaben geleitete Esel schleppten in Körben
unablässig Kalksteine oder das als Brennmaterial dienliche
Stammholz, Wurzelknorren und Gesträuchbündel herbei.

Wir konnten es uns nicht versagen, noch einen nächt-
lichen Spaziergang durch das Arabergewimmel zu machen,
zuzusehen wie diese Burnusmänner, um kleine Lagerfeuer

hockend ihren Gusgus, ein aus Semmelgries und diverſen
Saucen bereitetes Gericht, kochten und von Gruppe zu
Gruppe wandernd eine Weile zuzuhören, wie einer in
näſelnden Tönen zum Geklimper der arabiſchen Mandoline
ſang, währenddem die andern andächtiglich zuhörten.

Dann aber verlangte der den ganzen Tag über mal=
trätierte Körper ſeine Rechte und nötigte uns, die wohl=
verdiente Ruhe aufzuſuchen.

Am andern Morgen erſtaunte ich, als ich in's helle
Tageslicht hinaustrat, um den Marktplatz zu beſichtigen.

Auf der gegenüber liegenden Längsſeite erblickte ich
Monumentalbauten, die beinahe an das Reichstagsgebäude
in Berlin heran reichten, wenn man etwas Phantaſie zu
Hülfe nimmt.

Da war das arabiſche Bureau, die Civilverwaltung,
ein rieſiger, rechtwinklig hervorſpringender, von gewaltigen,
breiten Säulenarkaden eingefaßter, mit großer Kuppel
gekrönter Bau. Daneben, in genau derſelben Bauart, die
Wohnungen des Militärkommandanten und der Offiziere
und rechtwinklig dazu, den enormen Platz nach der Wüſte
hin abſchließend, die gewaltige Kaſerne, eine kleine Feſtung.

Neben der Kaſerne ſteht die Moſchee, welcher ich nun
ſofort einen Beſuch abſtattete.

Das Innere iſt einfach, weiß getüncht; das Dach ruht
auf ſieben Reihen von je ſieben prunkloſen, viereckigen
Pfeilern.

Dagegen iſt die Kuppel ein Bild ſchöner Filigranarbeit
in Gyps, verſchlungene Arabesken in den verſchiedenſten
Formen und Zeichnungen bildend.

Die sehr alte Kanzel war mit eingeschnitzten Koran-
sprüchen in alt-arabischer Sprache verziert.

Von der Höhe des Minarets aus genoß ich einen
prächtigen Rundblick, zuerst über die Stadt mit ihren
flachen Dächern, deren Häuser, wie diejenigen aller dieser
Städte und Ortschaften nur aus an der Sonne getrockneten
Lehmbacksteinen bestand. Eine Ausnahme davon machen
blos die Häuser der Reichen, welche aus mit feinem Sand
gemischten gebrannten Gypssteinen gebaut sind, und welche
noch ein Stockwerk tragen.

Der Caïd von Tugurt, der arabische Bezirksvorsteher,
(der gegenwärtige hieß Terratschi ben Smaïl M'srali)
bewohnt einen größeren Komplex mit weiß getünchten
Mauern. Er war leider nicht anwesend, sonst hätte ich
ihm als unbevollmächtigter Vertreter der schweizerischen
Eidgenossenschaft im Allgemeinen und des Kanton Basel-
stadt im Speziellen einen Besuch abgestattet, was ihm
gewiß imponiert hätte.

Unmittelbar vor der Stadt beginnt südlich die Wüste;
ein Gürtel von Sanddünen beschützt die Stadt vor Ver-
sandung durch den von den Wüstenwinden hertreibenden
Flugsand.

Im Norden liegt in der langgestreckten Palmenoase,
welcher wir Tags vorher entlang gefahren waren, die
Ortschaft Sauya mit zwei Marabu-Grabtempeln; daran
schließen sich westlich die Orte Sidi Koasis, Beni Sued und
Tebesbes an; östlich, ebenfalls inmitten weiter Palmenpflanzungen, Nessla und Sidi Buschnen.

Alle diese Ortschaften sind übrigens nur Vorstädte der
Stadt Tugurt und bilden mit derselben die große Oase

Tugurt, die ein Areal von 70 bis 80 Quadratkilometern umfassen dürfte.

Nordwestlich war auf der Höhe der Dünen das Gurbilager der Uled Neïls zu sehen, jenes Wüstenstammes, der die in Biskra wohlbekannten Tänzerinnen liefert. Wenn ein solches Mädchen genug Geld ertanzt hat, zieht es, wie ich schon früher erwähnt habe, wieder heim in sein Wüstenzelt (Gurbi) in der Sahara und kauft sich einen Mann. Vorüber ist dann das üppige Wohlleben in den arabischen Cafés, verschwunden die leuchtenden seidenen Gewänder und die Beifallsspenden der elektrisierten arabischen Zuschauer.

Da kauern sie vor ihren niedrigen, grauen oder braun gestreiften Zelten, innerhalb der halbkreisförmigen aus Strauchwerk und Wurzelholz gebildeten Hecken, eingehüllt in schmutzige und zerlumpte Gewänder und spinnen Wolle und Kamelshaar an freischwebender Spindel, wie zur Zeit, da „Königin Bertha spann" oder bereiten den Gusgus, kneten Teig oder mahlen das Mehl auf einer Handmühle.

Es läßt sich aber nicht leugnen, daß die edlen Gestalten, der schlanke Wuchs, die regelmäßigen, nicht unschönen ja sogar rassentypisch sehr ansprechenden Gesichtszüge und die zierlichen Bewegungen trotz der unscheinbaren Gewandung zur Geltung kommen.

Der bräunliche Teint erhöht noch die Originalität der Rasse und stimmt mit den dunkelbraunen Rehaugen überein.

Manche unter ihnen werden sich wohl auch erst auf ihr Auftreten vorbereiten.

Wahrscheinlich deshalb begrüßten sie uns auch mit freundlichem Kopfnicken und gerne hätten wir uns vielleicht einen schwarzen Kaffee oder einen Gusgus servieren lassen, wenn nur Alles in Allem etwas appetitlicher gewesen wäre.

Auch verleidete uns das wütende Gekläff der Wüstenspitzer den Aufenthalt, die wie rasend an ihren Stricken rissen, um sich auf die Fremdlinge zu stürzen und sich ein Beefsteak saignant aus ihren Waden zu holen.

Trotz Drohungen und Prügeln durch arabische Jungen waren sie nicht zur Ruhe zu verweisen, so lange noch die Spur von einem Europäer sichtbar war.

Angebettelt wurden wir natürlich auch hier von der von Schmutz starrenden hoffnungsvollen Jugend.

Die Bewohner der Oase Tugurt gehören verschiedenen Araberstämmen an. Mein Begleiter nannte mir die Uad Rir, M'schahariya, Suava, Mestaua und Ruaga, welche Letztere dunkelfarbiger sind, ohne jedoch zu der Negerrasse zu zählen. In der Stadt Tugurt selbst betrachten sich die Beni-Mansur als die eigentlichen Ruara, d. h. die Nachkommen der Gründer der Oasen des Ued Rir und bezeichnen die übrige arabische Bevölkerung, welche von ihnen nur durch die Straße getrennt ist, die die Stadt in zwei Hälften teilt, als Fremde „Mestaua".

Es war sehr interessant vor dem Hotel unter den Arkaden, den guten Kaffee schlürfend, dem Markttreiben zuzuschauen.

Weniger interessant war die Anzahl von Fliegen, die uns belästigten und von welchen wir fortwährend ein halbes Dutzend aus den Tassen zu fischen hatten.

So frech habe ich dieses Volk nirgends gesehen, nicht einmal in einer Sennhütte des Berner Oberlandes, wo es doch auch sehr heimisch ist.

Das Gewoge auf dem Marktplatze war unbeschreiblich; dieses Durcheinanderdrängeln gemahnte an eine Landsgemeinde in der Urschweiz; die unzähligen weißen Burnuse, aus welchen die sonngebräunten, schwarzbärtigen Gesichter so auffallend hervorstachen, verliehen jedoch dieser Volksversammlung ein merkwürdig eigenartiges, fremdländisches Gepräge, das die Blicke immer und immer wieder fesselte.

Dazwischen spielten sich idyllische Scenen und wahre Jahrmarktsbilder ab.

Da hockte ein ernst blickender Araber auf dem Boden und vor ihm kauerte sein Kamel und fraß gemütlich Gerste aus seinem Schoß. Dort spielte eine Gruppe, einen Kreis bildend, um Geld; sogar kleine Knaben spielten schon Monte Carlo, indem sie eine Hand voll Stäbchen oder gar ihre Schlappen in die Höhe warfen; je nachdem sie beim herunterwirbeln zu liegen kamen, hatte dieser oder jener gewonnen.

Händler saßen mitten auf dem Markt auf ihren Matten und hatten vor ihnen ihren Kram ausgebreitet, europäische und arabische Artikel durcheinander: Nadeln, Faden, Fingerhüte, Bleistift, Federn, Blechdosen und billige Parfümerien, dann wieder Baumwolltüchlein mit einfachen arabischen Dessins aus der Oase El Suf (etwa 80 Kilometer östlich von Tugurt), Gewürze und Nahrungsmittel, Hennablätter zum Rotfärben der Fingernägel, rote Mützen (die Schescha) und Schlappschuhe; für die Kamele konnte man Gerste

erhandeln; sogar einige Wellelein von Buschholz hielt ein
armer Teufel feil.

Zwischen hinein wurden wir natürlich von der viel
versprechenden Jugend angebettelt, was eine National=
tugend der ganzen Araberbande zu sein scheint.

Je mehr man austeilte, um so mehr Hände streckten
sich uns entgegen.

Nachmittags besuchten wir die Vorstadt, durch welche
wir eingefahren waren und in welcher an breiter Straße
das Post= und das Schulgebäude liegen.

Als wir an der Schule vorbei spazierten, sahen wir
drei Reihen kleiner Burnusmänner, je drei Klassen bildend,
militärisch aufgestellt.

Auf das Kommando: „par file à droite" machten sie
rechts um kehrt und marschierten in gleichem Schritt und
Tritt in die Klassen.

Der Oberlehrer lud uns ein, die Klassen zu besuchen.

Den Jüngsten brachte seine Frau, eine hübsche blau=
äugige Blondine, die Anfangsgründe europäischer Civili=
sation bei.

Sobald wir in eine Klasse traten, erhob sich die ganze
Mannschaft wie ein Mann. Das ging wie am Schnürchen
und Alle legten militärisch grüßend die Hand an die Kopf=
bedeckung, bis der Lehrer abwinkte. Dann erst setzten sie
sich nieder.

Einige wenige Franzosenbuben, worunter der Sohn
unseres Wirtes, taten auch mit.

In der zweiten Klasse zeigte uns ein eingeborener
Lehrer in Arabertracht das Können seiner Schüler.

Unisono lasen sie, was er in schöner Schrift an die
Wandtafel geschrieben hatte:

„vendredi le 9 février 1901"
„Le boulanger mêle la farine dans le pétrin, il y met
de l'eau etc."

Es war sehr gelungen, wie die Jungen aller Schat=
tierungen, vom hellfarbigen, feinen Arabersöhnchen bis
zum halbschwarzen Mischling, dieses Thema im Chor
herunterlasen.

Man verfolgt in der Lehrmethode dasselbe moderne
Prinzip wie bei uns, nämlich sehr viel Anschauungs=
unterricht.

An den Wänden hängen Bilder, die verschiedensten
Industriezweige und Fabrikationsbetriebe darstellend; dann
wieder Landschaften, Tiere, Pflanzen und dazwischen
Moralsprüche.

Auch eine reichhaltige Sammlung einheimischer Pro=
dukte, Pflanzen Mineralien, Metalle ꝛc. soll die Kenntnis
der Arbeit und Hülfsquellen des eigenen Landes fördern
und anregend wirken.

In einer besonderen Klasse wird Handfertigkeitsunter=
richt getrieben. Der Lehrer zeigte uns hübsche Arbeiten,
wie Flechtwerk, Körbchen, Teller, Wollarbeiten ꝛc., alles
von diesen Araberjungen angefertigt.

Und das wurde uns auf der Oase Tugurt in der
Sahara, hundert Stunden von der Küste geboten.

Die Franzosen führen ein strenges Regiment in ihrer
nordafrikanischen Besitzung; aber sie suchen sich die Einge=
borenen dadurch zu assimilieren, daß sie durch aus=
giebigen Schulunterricht im ganzen Lande dieselben zur

europäischen Kultur und zur Kenntnis ihrer Sprache heran-
zubilden suchen.

Milde in der Beurteilung, wenn es sich um Aus-
brüche der Leidenschaft, ja Vergehen und Verbrechen
handelt, die dem Rassencharakter entspringen, halten sie
überall strenge auf Ordnung und schaffen Sicherheit im
ganzen Lande, wodurch Wohlstand, Handel und Gewerbe
in demselben mächtig gefördert werden.

Wenn früher die verschiedenen Stämme sich bis auf
den Tod bekämpften, so daß verhältnismäßig kleine Reisen
nur unter größten Gefahren ausgeführt werden konnten,
so kann man jetzt kreuz und quer ziehen mit ebenso
großer Sicherheit wie in Europa; dem Volke, das durch
die frühere Paschawirtschaft ausgesaugt wurde, ist das
Eigentum derart gewährleistet, daß sich der Wohlstand
der Durchschnittsbevölkerung von Jahr zu Jahr hebt und
daß wohl noch bei den tief stehenden Schichten Armut,
aber doch immer weniger eigentliches Elend mehr vor-
kommt.

Unterdrückungen und Ungerechtigkeiten von Seite der
Kolonisten und des untergeordneten Beamtentums mögen
ja wohl noch mit unterlaufen; sie werden aber sehr oft
hervorgerufen durch die Verschlagenheit und die Diebereien
der auf niedriger Kulturstufe stehenden Eingeborenen, den
Fanatismus derselben gegenüber dem Christen, welcher
dann in seiner Selbstüberhebung als weißer Mann nicht
immer mit Sammtpfötchen zugreift, um so weniger als
die eingewanderten Arbeiter aus Frankreich, Spanien und
Italien und namentlich die in Algier geborenen Nach-

kommen derselben sich die Gefühllosigkeit der Araber und Kabylen sehr bald aneignen.

Mit zunehmender Entwicklung von Kultur und Bildung werden sich jedoch die Gegensätze mit der Zeit abschleifen.

Ritt mit Hindernissen nach der Oase Temassin.

Es war gegen Abend, als ich unter den Arkaden vor einer der Miniaturkaffeebuden saß und an meinem guten arabischen Kaffee sog. Hinein konnte ich nicht, weil ich wahrscheinlich die ganze Kaffeehalle ausgefüllt hätte, wie die Schnecke ihr Haus.

Da gesellte sich der Tugurter Maultierverleiher zu mir, ein schöner Araber, dessen schmales Gesicht von einem rabenschwarzen Bart eingerahmt war, und begann mich in sehr gutem Französisch, obschon er noch nie über Tugurt hinausgekommen war, über die verschiedenen Ausflüge in der Umgebung zu unterhalten, namentlich aber meinte er, man könne unmöglich Tugurt wieder verlassen, ohne Temassin gesehen zu haben.

„Qui n'a pas vu Temassine, n'a pas vu Tougourt!“ parodierte er in pathetischem Tone die Sprichwörter: „vedere Napoli e poi morire“, „Neapel sehen und dann sterben“, oder noch richtiger: „Nikko mi nai utschiwa, kekko to you na“, „Wer Nikko nicht gesehen hat, hat noch nie was Schönes gesehen“, wie der Japaner von seiner heiligen Tempel= und Herrschergräberstadt sagt.

Nun muß man wissen, daß man zum Besuch von Temassin Maultiere gebrauchen muß. So ganz ohne

eine Spur von Selbstinteresse schien mir also dieser
gravitätische Ausspruch von Seiten eines offiziellen Maul-
tierverleihers nicht zu sein und ich wandte mich daher
an den Wirt um nähere Auskunft; der aber bestätigte
mir, daß Temassin einer der interessantesten Orte der
ganzen Sahara sei.

Und so beschlossen wir, am nächsten Morgen diesen
wunderbaren Ort mit der berühmtesten Moschee und
theologischen Lehrschule Algeriens, ja des ganzen Sahara-
gebietes, mit unserm Besuche zu beehren.

Proviant wurde in einen Korb gepackt, sogar auch
einige Flaschen Wein, wenn ich mich noch recht erinnere,
und um 9 Uhr bäumten sich unsere ungeduldigen Renner
vor dem Gasthof, vier Maultiere.

Für mich war wegen meinem den normalen Durch-
schnitt erklecklich übersteigenden Körpergewicht, ein großes,
starkes Marabu-Tier ausgewählt worden, das im gewöhnlichen Leben die Ehre genoß, nur einen Marabu zu tragen.

Als ich mich deshalb demselben näherte, hieb es sofort
mit der einen Hinterpfote nach mir aus; ich war eben
kein heiliger Marabu.

Die Marabu bilden einen religiösen Familienadel,
welcher bei allen Arabern heilig gehalten wird. Das
Familienhaupt ist zugleich auch das religiöse Kirchen-
oberhaupt, neben welchem dann die funktionierende Geist-
lichkeit steht, die den Gottesdienst verrichtet. Dem Marabu
wird eine wundertätige Kraft zugeschrieben, wie z. B. Heilkraft bei Kranken.

Und weil ich kein Marabu war, hat das Vieh dem
verfluchten Giaur Eins versetzen wollen.

Vielleicht aber hatte es auch nach meinem Brustum=
fang geschielt, da wo die Taille sein soll, und wollte nun
das ihm drohende Unheil von sich abwenden.

Es half ihm jedoch nichts und nach einer heroischen
Anstrengung saß ich hoch oben in dem arabischen Sattel=
bock.

Ich weiß nun wirklich nicht, wie die Araber in Bezug
auf ihre Hüftgelenke gebaut sind, daß sie es auf einer
solchen Wulst von Sattelbock aushalten können. Mir
wurden sie einfach ausgerenkt und es dauerte lange, bis
ich mich an die Verrenkung gewöhnen konnte.

Nun ging es los zur Stadt hinaus, zuerst über eine
Sandmulde und dann über den Dünenwall in die mit
Sand leicht bedeckte Wüstenebene hinein.

Da und dort unterbrachen langgestreckte Sandhügel
wellenförmig die Eintönigkeit. Sonderbar kam es uns
vor, daß sich öfters mitten in der Sandwüste mit Kuppeln
gekrönte Backsteinbauten erhoben, die Ruinen ehemaliger
Moscheen oder Heiligengräber, von denen einige einen von
halbzerfallenen Mauern eingefaßten Komplex bildeten. Es
legte dies Zeugnis davon ab, daß die bewohnte ehemalige
Stadt weiter südwärts lag oder doch sich weiter nach
Süden und Westen erstreckte, bis sie schließlich vollständig
versandet wurde und daß daher die von den Franzosen
zum Schutze der jetzigen Stadt angeordneten Dünenwälle
sehr wohl angebracht waren.

In einem dieser Komplexe, in welchen ich durch eine
nur mit einem Holzriegel verschlossene lotterige Türe
gelangen konnte, fand ich in einem Bau mit durchlöcher=
tem Kuppeldach eine alte zerrissene grün und weiße Fahne

vor, sowie eine steinerne Öllampe, ähnlich wie sie in Pompeii zum Vorschein kamen. Daraus, daß sie noch mit Docht und verharztem Öl versehen war, schloß ich, daß diese Ruine dann und wann noch von Betern oder auch nur herumstreifenden Arabern besucht werde, schwerlich jedoch zu längerem Aufenthalt, denn der mit Schutthaufen angefüllte Hof und die zerfallenen niedrigen Wohnungen, die vielleicht früher einmal Priestern, Mönchen oder einem Marabu mit ihrem Gefolge als Behausung gedient haben mochten, sahen nichts weniger als wohnlich aus.

Vielleicht mochten sie auch den Beduinen eines in der Nähe aufgeschlagenen Lagers, dessen Köter mich wieder mit einem scheußlichen Gekläffe bewillkommneten, zur Verrichtung ihrer religiösen Andacht dienen.

Doch nun zurück zu unserm Ritt.

Bald wurde, da der Boden sich trotz der leichten Sanddecke als ziemlich hart erwies, ein kleines Galöppchen angeschlagen; voraus der Dr. med., dann der Dr. phil., hierauf ich und dann der Führer, welcher mit seinem fortwährenden: err! err! die Tiere zu immer größerem Ausholen anfeuerte.

Eine Weile ging es ganz gut; dann aber fühlte ich allmählich eine Haltlosigkeit, die beängstigende Gefühle in mir erregte.

Plötzlich bemerkte ich, daß der Dr. phil. sich krampfhaft in die langen Ohren seines Renners einkrallte; dann klebte er eine Weile mit allen Vieren an seinem Araber, wie eine Kröte im Weiher an einer Brunnröhre, die sich drehen will, und urplötzlich flog er mit samt seinem Sattel in weitem Bogenwurf auf die Sahara, wo er sich mit unsäglich trauervoller Miene den linken Hüftknochen rieb.

Ich hatte gerade noch Zeit ein Hohngelächter anzuheben und ihm voll falschen Mitleids zuzurufen: „Pätos, es schmerzt nicht!", da lag ich auch schon auf meinem rechten Hüftknochen, den ich eben so eifrig rieb, wie mein Vorgänger den linken. Mein voreiliges: „es schmerzt nicht", nahm ich ohne Widerrede zurück.

Der Sattel meines Tieres aber befand sich da, wo er gar nicht hin gehörte, nämlich auf der Bauchseite. So hätte ich unmöglich weiter reiten können; um so weniger als mir seiner Zeit im militärischen Reitunterricht eine derartige Kunstreiterakrobatik auch nicht eingedrillt worden war.

So waren, ohne daß eine Lanze gebrochen wurde, zwei Ritter in den Sand gestreckt.

Schade, daß ich dieses Bild nicht selber aus der Vogelperspektive betrachten konnte; es mag ungefähr ausgesehen haben, wie zwei alle Viere von sich streckende Froschleichen, wie der schadenfrohe Dr. med. das tableau in seiner drastischen Weise ausmalte.

Daß aber dieser Dr. med. sich unsere peinliche Situation zu Nutzen zog, um uns, ohne erst unsere Erlaubnis einzuholen, momentzuphotographieren, das war ebenso schadenfroh wie hinterlistig.

Ich setzte mich nun zu meinem Leidensgefährten hin und bald hatte uns ein Dattelschnaps über unser unglückseliges Geschick hinweggetröstet.

Der Renner meines Freundes hatte mittlerweile schleunigen Schrittes den Rückweg nach seinem geliebten

Heim aufgesucht, ein Zeugnis dafür, daß nicht nur die Schweizer in der Fremde, sondern auch die Maultiere der Sahara unter dem Gefühl des Heimweh leiden.

Nach einer kleinen Viertelstunde kehrte unser Führer, der mittlerweile den Sattel meines Tieres wieder umgedreht hatte und dem Flüchtling nachgejagt war, mit demselben zurück und vorwärts ging's aufs Neue, trab, trab, hopp, hopp, err, err!

Und so trabten wir Seite an Seite über die Sandkruste dahin.

Die Wüstenei hatten wir nun schon genügend angeschwärmt, im Gehirn sah es bald eben so öde aus wie in der Wüstenregion um uns herum und allmählich drohte die Unterhaltung zu erlahmen.

Vergeblich anerbot sich der Doktor der Kieler Augenklinik uns zur Unterhaltung und Belehrung einen Vortrag über den Horupter des Auges zu halten.

Wir lehnten dankend ab, denn wir hätten wahrscheinlich gerade so wenig davon verstanden, wie ein studiosus medicinae im Examen.

Zum Zeitvertreib griffen wir lieber wieder zum Dattelschnaps, der überall aushelfen mußte und jeweilen dem Gedankengang einen neuen Schwung verlieh.

Schon während unserer vorherigen Wüstenfahrt, als wir in der kalten Morgenfrühe halb erfroren in der Karre saßen, hatten wir einige oder mehrere Dattelschnäpse gegen die Kälte und dann den Tag über mindestens ebenso viele gegen die Hitze genommen. Auf diese Weise mußte sich die schädliche Wirkung des Alkohols paralysieren.

7

Ich hege übrigens die feste Überzeugung, daß der fanatischste Abstinentler in der Wüste seinen Prinzipien untreu und sich zu diesem wundertätigen Belebungsmittel bekehren würde.

Allerdings schien nach und nach dieses gebrannte Wasser in der Gehirnsubstanz eine seltsame Anomalie zu erzeugen, die sich in den wildesten Wüstenwitzen äußerte, derart schrecklich, daß es rein nicht mehr zum Aushalten war.

Es war deshalb gar nicht zum Verwundern, daß Einer später in das Fremdenbuch des Marabu in Temassin schrieb:

> „Die Wüstenwitze werden krasser,
> Das kommt vom Dattelfeuerwasser",

und den Vers für einen schönen Moralspruch ausgab.

Heiliger Kalau! hast du dich sogar in die Wüste Sahara verirrt!

Nach zweistündigem Ritt lenkten wir glücklich in die schöne Oase Temassin ein.

Ein interessantes Bild zeigte sich uns, als wir um eine Ecke bogen.

Schon lange hatten wir den Schall von Negertrommeln und Klarinetten gehört. Wir ritten gemütlich durch die schöne Palmenpflanzung dem Ton entgegen.

Da plötzlich, als wir um eine Ecke bogen, erblickten wir zu unserer Rechten eine weite Mulde, die steil an= steigend an einer felsigen Wand, auf deren Höhenkamm sich ein Teil des Ortes Temassin, eine wahre Bergfeste, hinzog, ihren Abschluß fand.

Diese stolz anstrebende rotbraune, wie mit Bastionen gekrönte Felsenmauer, in einer Gegend, wo man derartige massive Erhebungen gar nicht gewöhnt ist, wirkte ebenso überraschend als pittoresk. Dazu nun noch die phantastische Scene, die uns vor Augen geführt wurde.

In der Mitte der Mulde, an einer erhöhten Stelle befand sich ein arabischer Sobbrunnen, um welchen sich gerade ein Negerfest abspielte.

Als uns die Festfeiernden anreiten sahen, zog uns die ganze Bande, Musik an der Spitze, eine kleine Strecke entgegen und feierte unser Erscheinen mit einem Tusch. Der Effekt war großartig und schauerlich schön war die Kostümierung, ein Durcheinander von Lumpen, Fetzen und grellen Tüchern aller Art, dazwischen der unvermeidliche weiße Burnus.

Dazu die possierlichen Sprünge und Hopser der voraustanzenden Negerkapelle; der reinste Karneval.

Und dieser ganze improvisierte Festzug uns zu Ehren; großartig!

Nun hieß es seinen Reiter stellen und stolz Revue passieren.

Wie seiner Zeit, als noch die vierspännigen Postkutschen den Personenverkehr vermittelten, der Baselbieter Postillon zum St. Albantor in Basel einritt, im Bewußtsein seiner Würde, kerzengerade mit gespreizten Beinen halbschräg in den Steigbügeln stehend, so sprengten wir vorüber, die Hand mit militärischer Geste am Hutrand und so die Bewunderung der ganzen Volksversammlung herausfordernd.

Na, wenn sie uns vorher so kläglich in den Sand fliegend gesehen hätten. —

Und wieder bogen wir um eine Straßenwendung, als ein neues imposantes Bild unsere Blicke fesselte.

Ein gewaltiger von einer hohen braunen Backsteinmauer umwallter Gebäudekomplex stand vor uns da. Über die Mauer hinweg zeigten sich die hohen und niedrigen Kuppeln verschiedener Gebäude. Das turmartig überbaute Eingangstor bewies, daß der Ort auch für eine allfällig nötige Verteidigung gerüstet war. Überhaupt verlieh die hohe Umfassungsmauer mit ihrer düstern braunen Färbung dem Ganzen eher einen festungs= als klosterartigen Charakter.

Die wilden Tuareg waren früher in dieser Gegend durchaus keine seltenen Gäste; sie dehnten ihre Raubzüge sogar noch viel weiter nach Norden aus und weder ihre Glaubensgenossen noch die heiligen dem Islam geweihten Stätten fanden vor ihnen Gnade.

Das war also die berühmteste Moschee und theologische Lehrschule von Algier und der Sahara, die Zauiya von Tamelhat.

Wir ritten zuerst durch das Doppeltor und gelangten in einen länglichen Hofraum; dann durch einen langen gewölbten Gang, der in einen größeren mit Steinfliesen gepflasterten Hof, dem Vorplatz der Moschee, ausmündete, wo wir abstiegen.

Die Dienerschaft des Marabu nahm uns dort in Empfang und geleitete uns eine Treppe hinauf in den Empfangssalon, dessen Fußboden aus Backsteinen mit kostbaren Teppichen belegt war.

Europäisches Mobiliar, Sopha, Polstersessel, ein langer ovaler Tisch, der mit einem europäischen Teppich bedeckt war, hätten von gutem europäischen Geschmack gezeugt, wenn nicht überall so viel Staub gelegen wäre und auf dem Kaminbord, sowie an den Wänden nicht so viel Zeug geftanden und gehangen hätte, das mit dem feinen Mobilar in gar zu grellem Kontraft ftand.

Bemerkenswert war eine jener alten Wanduhren, deren Gehäufe bis auf den Fußboden hinunter reichte.

Ein junger Mann mit halb negerartigem Gefichtsausdruck und von dunklerer Hautfarbe als feine Umgebung, ftellte fich als der junge Marabu vor.

Sein Vater, der alte Marabu, hatte für einige Zeit den Platz gewechfelt mit dem Marabu des El Suf und fo mußte nun der Sohn den gefellfchaftlichen Stellvertreter fpielen. Er zeigte uns auch gleich feine europäifchen Schätze, eine Genfer Spieldofe und verfchiedene Photographie-album mit Anfichten von Paris.

Nun erfchien ein Diener: „Messieurs sont servis" und wir wurden in das Speifezimmer geleitet. Es war dies ein Kuppelbau; die hohe Kuppel war verfchiedenartig bemalt und zwifchen den Deffins waren Koranfprüche angebracht.

Der Fußboden war ebenfalls mit koftbaren Teppichen bedeckt, wogegen wieder die übrige Ausftattung merkwürdig kontraftierte. An den Wänden hingen filberbefchlagene arabifche Säbel, abwechfelnd mit verftaubten, ganz ordinären Bordeauxflafchen; in einer Nifche ftand ein Effig- und Ölftänder, von welchem jedoch das Ölfläfchchen das Zeitliche gefegnet hatte und daneben befand fich als weitere Dekoration eine Vafe in Geftalt eines einhenkligen Topfes, der fonft in Europa einem ganz anderen Zwecke dient und auch an einem anderen weniger fichtbaren Ort untergebracht wird.

Je nun, man muß die gute Absicht auch für etwas rechnen und wir taten es um so lieber, als der Frühstückstisch wirklich sehr sauber gedeckt war.

Nachdem wir unser mitgebrachtes Frühstück eingenommen hatten, an dem allerdings die Araber aus religiösen Gründen nicht Teil nahmen, wurde uns von dem Marabu, der sich überhaupt als sehr liebenswürdig zeigte, ein ausgezeichneter schwarzer Kaffe serviert, der feinste, den ich bisher noch in Algier getrunken hatte, und notabene ohne Ludwig Franck Söhne's Streckmittel. Die Cichorie ersetzte ächter Mokkakaffee, den der alte Marabu direkt aus Arabien bezog.

Zur besseren Verdauung ließen wir uns in der Gallerie nieder, welche sich um den Hofraum zog und dort wurde dann noch die ganze Gesellschaft inklusive Marabu photographiert. Als Dolmetsch diente während der ganzen Zeit unser Maultiertreiber, ein junger intelligenter Bursche, welcher in der früher schon beschriebenen Gemeindeschule ziemlich geläufig französisch gelernt hatte.

Es wurde allmählich Zeit an den Heimritt zu denken.

Wir stiegen deshalb in den Hof hinunter, wo uns der Ober-Marabu aus der Oase El Suf empfing. Er war ein hochgewachsener Greis mit schneeweißem Bart und freundlichem Gesichtsausdruck, der sich auf den mit grünem Tuch umwundenen Krummstab des Mekkapilgers stützte.

Mit zuvorkommendem Lächeln lud er uns zur Besichtigung der Moschee ein. Wir wollten uns, weil keine Babuschen zum Überziehen vorhanden waren, anstandshalber der Schuhe entledigen, was jedoch der Marabu nicht zugab, ein Akt der Courtoisie, den wir angesichts der Heiligkeit des Ortes, sehr hoch zu schätzen wußten.

In andern mohammedanischen Orten, z. B. in Tunis, ist den
Fremden das Betreten einer Moschee überhaupt untersagt
und gar noch mit beschmutzten Schuhen würde es als eine
Schändung angesehen werden.

War die Kuppel der Moschee in Tugurt schon ein
schönes Werk, so war diejenige in Temassin ein Meister-
werk von Filigran- und durchbrochener Gypsarbeit. In
den Ecken zog es sich wie feines Blätterwerk empor, dazwischen waren Felder bis zur Kuppelspitze angebracht,
keines wie das andere, jedes für sich wieder von verschiedener Zeichnung.

Der große Sarkophag des Gründers der Moschee war
von Gitterwerk umgeben und rings herum standen die
alten Banner, die bei solennen Gelegenheiten voraus getragen wurden, wie bei uns an Turner-, Schützen- und
Sängerfesten.

Wir verließen die Moschee, gefolgt von der ganzen
Priester- und Studentenschaft, verabschiedeten uns im
Hofe von dem freundlichen alten Marabu, sowie von dem
jungen, der noch seinen Namen, Said ben Sidi, in unsere
Notizbücher schrieb.

Während unsere Maultiere vorgeführt wurden, kehrte
die ganze Gesellschaft wieder in die Moschee zurück, wo
das theologische Kolleg sofort begann, wie wir aus dem
näselnden Ton des Vorlesenden und dem nachfolgenden
allgemeinen Geschnarr entnahmen.

Wir aber ritten unseres Weges, von den Festfeiernden
am Brunnen nochmals mit einem Tusch begrüßt.

Noch eine photographische Aufnahme und dann trabten
wir zurück durch die Wüste.

Unterwegs begegneten uns auf Mehari, den schlanken weißwolligen Laufkamelen reitend, zwei arabische Wüstengensdarmen in ihrer kleidsamen orientalischen Tracht, welche einen Deserteur der Tirailleurs algériens (Turcos) verfolgten.

Diese Turcos werden meistens aus Kabylen angeworben und stehen mit der ihnen stammesfremden arabischen Bevölkerung in bitterster Feindschaft. In Tugurt hatte Abends vorher eine Anzahl dieser Tirailleurs mit andern Arabern eine Rauferei gehabt (cherchez la femme!) und als die Wache Ordnung schaffen wollte, sich an derselben und ihren Offizieren vergriffen. Daher die Flucht in die Wüste.

Abends wurde der arme Teufel von Spahis an einem Strick um den Hals eingebracht.

Die Strafe wird nicht allzu hart ausgefallen sein, weil man diese braunen Gesellen eben doch als kindische Strudelköpfe betrachtet, die keiner Überlegung fähig sind.

Wir hatten es hinsichtlich der Temperaturverhältnisse sehr gut getroffen, den Tag über mild und Nachts nicht sehr kalt.

Tugurt hat nämlich in dieser Hinsicht den Ruf außerordentlich heftig schwankender Temperaturverhältnisse. Im Winter sinkt das Thermometer bis 5° R unter Null und im Sommer steigt es bis auf +45° R.

Bei solcher Hitze hört selbstverständlich der Tagesverkehr auf und Karawanen und Postwagen reisen nur noch während der Nacht.

Aus diesem Grunde ist auch die Hauptgasse, welche sich rund um die ganze Stadt zieht, überdeckt. In ge-

wissen Entfernungen lassen Öffnungen Lichtstrahlen hinein-
fallen, wodurch die dunklen Gänge etwas Helle erhalten.
Es macht einen merkwürdigen Eindruck, diese kasemattierte
Stadt, dieser finstere Straßenzug, von welchem entweder
direkte Eingänge in die Wohnungen oder kurze schmale
Zugänge zu denselben führen.

Überall saßen im Dunkel der Gewölbe die Bewohner,
welche, wenn wir vorbei gingen, sofort aufstanden und
uns den militärischen Gruß entboten. Ein ausgedienter,
mit der napoleonischen Feldzugsmedaille geschmückter Turco,
erwies uns die Ehrenbezeugung mit militärischer Stramm-
heit. So waren diese Araber von den französischen Offizieren gewöhnt worden. Sie sollen die Europäer höher
achten, damit ihnen der Respekt vor denselben in Fleisch
und Blut übergeht und dieselben um so sicherer im Lande
weilen können.

Wir konnten nicht von Tugurt abreisen, wo wir so
schöne und erinnerungsreiche Stunden verlebt hatten, ohne
in bescheidener Weise unseren Gefühlen vermittelst einer
Flasche Champagner die richtige Weihe zu verleihen.

Aber vom Erhabenen zum Niedrigen ist nur ein Schritt
und so wurde auch diese edle Feier abends in Form einer
Schnapsorgie fortgesetzt, von welcher ich mich, glücklicherweise für mich, drücken konnte, bevor sie ihr höchstes
Stadium erreichte. An dieser verlängerten Feier nahm
außer dem Wirt und einigen französischen Unteroffizieren,
auch der würdige Caïd von Tamerna teil. Der edle Caïd
verbat sich jedoch, daß man ihm Rhum einschenkte; das
war gegen sein religiöses Gefühl. „Seulement oung po de
sirop avec gazouse" ließ er sich eingießen.

Sonderbar aber war es, daß dieses ehrbare Distrikts-
oberhaupt von dem alkoholfreien Syrup immer mehr be-
rauscht wurde und sehr verdächtig, daß er so häufig in
den Hof hinaus mußte, um frische Luft zu schnappen.

Als er gegen Mitternacht wieder einmal schwankenden
Schrittes die Schwelle überschritt, schlich ihm Einer nach
und sah gerade noch, wie er sich unter dem Schutze der
Dunkelheit den Rest einer Flasche Kirschwasser in die
Kehle goß.

Das war der Caïd von Tamerna.

Er soff nur, wenn es Niemand sah. —

Am andern Morgen entschuldigte sich der fromme
Moslem damit „qu'il faut garder les décors, sauver les
apparences"; was man heimlich tue, gebe kein öffentliches
Ärgernis.

Partout comme chez nous! Wie unzählig viele unter
uns, die nicht Caïd noch Moslem sind, trachten nur darnach das Decorum zu wahren, sich den Anschein zu geben,
sei es in religiöser, sei es in gesellschaftlicher Hinsicht und
von denen man oft auch sagen könnte: „Das war der
Caïd von Tamerna, et cetera, et cetera. —

Im Nachtdunkel des 11. Februar fuhren wir wieder
von Tugurt ab.

Zurück nach Biskra.

Gegen Sonnenaufgang wurde es bitter kalt, die Räder
knirschten auf der gefrorenen Sandkruste und wir hüllten
uns bis über den Kopf hinaus in unsere wollenen Decken.

Überall an der Postroute hatten die auf den Wagen
harrenden Araber, welche mündlichen Bericht zu über-

bringen oder Briefschaften abzugeben hatten, Feuer ange-
facht, gegen welche sie ihre nackten Beine streckten und
auch aus den Zeltlagern der Nomaden flammten Feuer-
stöße auf.

Wieder begrüßte uns in den Ortschaften, durch welche
wir fuhren, oder von den Lagern her, das fürchterlichste
Gekläff der Köter, dieser arabischen Sicherheitspolizei.

Nach Sonnenaufgang erblickten wir unsern armen
Freund, den erschossenen Esel, der nun nach achttägiger
Qual: Hunger, Durst und den Schmerzen eines gebrochenen
Beines, ausgelitten hatte.

Er war von dem langen Fasten so mager geworden,
daß er aussah, wie ein im Sande hingestrecktes körper-
loses Fell.

Vor uns im hellen Sonnenschein erglänzten zwei
feuerrote Mäntel.

Es war eine Spahipatrouille, welche auf ihren edel
geformten Pferden über die Wüste hin tänzelte, bald einen
kurzen Jagdgalopp anschlagend, dann wieder in ein
ruhiges Tempo zurückfallend, so daß wir abwechslungsweise sie und sie dann wieder uns überholten.

Herrliche Gestalten waren es, mit regelmäßigen energischen Gesichtszügen, wie aus Bronceguß, welche, wie in
einen Guß verschmolzen mit ihren Prachtstieren, die im
Bewußtsein ihrer Schönheit und der stolzen Reiter, die sie
zu tragen berufen waren, sich auf ihren nervigen trockenen
Fesseln wie auf Sprungfedern wiegten, uns armselige
Karrenfahrer jämmerlich in den Schatten stellten und uns
so recht eigentlich vor Augen führten, welche Staffage in
diese Wüstenlandschaft gehörte.

Es war etwas, wie ein lebendiger stiller Vorwurf, vor welchem wir uns stumm verbeugten.

Bald sollte uns ein anderes Bild daran gemahnen, daß wir uns in der Wüste mit allen ihren Schattenseiten befanden.

Einige Araber waren damit beschäftigt, ein gefallenes Kamel zu schlachten und zu enthäuten.

Was mußte dieses arme Tier zu ertragen gehabt haben, bis es, unter den unbarmherzigen Streichen seiner gefühllosen Treiber sich matt und krank weiter schleppend, endlich sterbensschwach zusammenbrach und, den Kopf mit dem brechenden Blick nach Osten gedreht, wie der religiöse Ritus es erforderte — denn auch hier gilt vor Allem die Form — unter dem Schächtmesser verblutete.

Einen freundlicheren Anblick bot uns eine ganze Smala, d. h. eine Familienkarawane, die wir überholten.

Es war ein Zweig der Uled Neil's, welcher mit Weiber, Kind und Hausrat gen Biskra zog.

Voraus marschierten gravitätisch einige Kamele, welche die bekannten Weiberzelte auf dem Rücken trugen, worin einige Frauen und Kinder gemütlich schaukelten und sich bei herunter gelassenen Zeltwänden des schönen Sonnenlichtes erfreuten.

Dann kamen Lastkamele mit Lagerzelten und Zubehör, als da sind: Zeltstangen, Seile, Decken, Kochtöpfe und Brennmaterialien für das Nachtlager.

Hierauf folgte eine Herde nur von einem kleinen Jungen angetriebener Schafe und Ziegen und den Schluß bildete das Rudel der übrigen Weiber und Kinder mit den unvermeidlichen Lagerhunden.

Unser Nachtquartier nahmen wir wieder bei Papa Schäfer in M'rayer, wo uns derselbe arabische Jüngling aus Otaya, einer kleinen Oase in der Nähe von Biskra, bediente, den man mit seinem sanftmütigen, fast mädchenhaften Gesichtsausdruck, vollständig weißer Hautfarbe und seiner geraden, dünnen, langen Nase ganz gut für einen seiner nordischen Heimat entronnenen Ladenschwengel hätte ausgeben können, wenn er nicht beständig von Kopf zu Fuß in seinen weißen Burnus eingewickelt gewesen wäre. Es war possierlich anzusehen, wie aus demselben, um zu servieren oder abzuräumen, in geschäftiger Weise die nackten Arme hervorzüngelten.

Er gemahnte mich an einen Einsiedlerkrebs, wenn derselbe seine Scheeren aus dem Schneckengehäuse herausstreckt und sie schleunigst wieder mit der Beute zurück zieht.

Noch am selben Abend besichtigten wir den artesischen Brunnen dieser Oase und kosteten das kräftig hervorsprudelnde warme Wasser. Dasselbe hatte wegen den darin enthaltenen Natron- oder Kalisalzen einen bitteren Beigeschmack, so daß es absolut ungenießbar war. Dafür aber ist dieser Salzgehalt sehr vorteilhaft zur Bewässerung der Dattelpalmen, die nur auf salzhaltiger Erde richtig gedeihen, weshalb auch überall, wo solche Pflanzungen vorkommen, die Erdoberfläche ein weißliches Aussehen hat, weil dort nach der Verdunstung des Wassers, das, wie schon früher bemerkt, in Gräben rings um jeden Palmenbaum geleitet wird, ein Salzniederschlag zurückbleibt.

Den Abend in M'rayer brachten wir in äußerst angenehmer Weise mit einem sehr höflichen jungen französischen Offizier zu, der auf der Hauptkasse in Batna den Sold

Man resümiere einmal mit kaltem Blut und nüchterner Berechnung:

Um halb 4 Uhr eine kleine Tasse Kaffee mit „ohne Milch, ohne Eingemachtem noch Brot und Butter", dann 6 1/2 Stunden Rüttelfahrt und das Menü! der Spitzbube! Er hatte mir allerdings vor der Abfahrt noch ins Ohr geraunt, er habe das versprochene Poulet nicht mehr auftreiben oder präparieren können, uns aber sonst mit Proviant reichlich versorgt. —

Schade nur, daß augenblicklich kein Photograph anwesend war, um zwei Momentaufnahmen zu machen; die erste: drei gräßlich dumm dreinschauende verblüffte Physiognomien, die zweite: dieselben, in schallendes Gelächter ausbrechend, so dröhnend, daß die ganze Wüste Sahara darob erbebte.

Nun entschloß ich mich kurzweg, auf den Bettel auszugehen und ich bin überzeugt, daß in Anbetracht dieses speziellen Notfalles sogar der gestrenge Basler Herr Polizeigerichtspräsident es nicht über sich gebracht hätte, mich in Anwendung des einschlägigen Polizeigesetzparagraphen wegen Inanspruchnahme der privaten Wohltätigkeit des Kantonsgebietes, in diesem besonderen Falle des Wüstengebietes, zu verweisen.

Ich näherte mich also den beiden vom ersten Aufenthalt her schon wohl bekannten zwei Lehmhütten, stellte mich vor den dort weilenden Arabern samt ihren Weibern und Kindern in Positur, stemmte beide Fäuste in die Hüften und begann aus Leibeskräften zu krähen, jedoch immerhin noch so, daß ich nicht allzu sehr gegen meine Würde als Mitglied eines E. E. Rates und namentlich auch gegen den meinem bestandenen Alter schuldigen Respekt verstieß.

Ich hatte einen riesigen Lacherfolg und die Wüsten-araberinnen klatschten vor Vergnügen in ihre hennaroten Hände und begannen unisono: lu! lu! lu! lu! zu trillern.

Wahrscheinlich glaubten die guten Leute, ich wolle eine Gratisvorstellung in der Nachahmung von Tierstimmen geben, und daß nun auf den Gockel der Esel folgen werde. — Und der Esel folgte nach. —

Ich begann nun mit beiden Ellenbogen wie mit Flügeln zu schlagen und gackerte wie ein preisgekröntes Leghuhn.

In der tiefen Lage ging es noch ordentlich; als ich aber als Schlußeffekt in die obere Region hinauf wollte, wie es eine währschafte Henne immer tut, wenn sie Mutter eines Eies geworden ist, überschnappte meine in den höheren Registern unzulängliche Stimme jämmerlich.

Wieder derselbe Heiterkeitserfolg.

Als Schlußtableau zeichnete ich nun mit den Fingern ein Hühnerei in den Sand. Aber auch dafür schienen meine Wüstlinge kein Verständnis zu haben, sie schüttelten höhnisch grinsend das Haupt; wahrscheinlich hielten sie es der Größe der Zeichnung entsprechend für ein Straußenei oder einen nackt geschorenen Araberschädel.

So mußte ich mit meinem nagenden Hunger im Magen wieder abziehen.

Meine beiden Reisegefährten betrachteten mich bei meinem Herannahen mit kanibalischen Blicken; die Situation wurde unheimlich. —

Mittlerweile aber hatten die Nomaden, im Kreise um mein in den Sand gezeichnetes Ei sitzend, ein Palaver

8

abgehalten und das Resultat ihrer Beratung war, daß sich einer mit zwei Eiern in den Händen uns näherte.

Ich war gerettet. —

Dem Überbringer drückte ich einige Sous und die Hälfte des Brodlaibes in die Hand und übergab die Eier der alten Araberenle in dem schwefelgelben Kattunrock, welche gerade in ihrer Hütte vor einem Holzfeuerchen kauerte.

Die resolute Alte befahl mir mit befehlshaberischem Winke, ihr eine vor der Hütte stehende verrostete Konservenbüchse zu reichen. Mißtrauischen Blickes gewahrte ich, daß darin eine schmutzig braune Brühe schwamm. Sie hatte gerade ihr Eßgeschirr und weiß Gott noch was darin gewaschen.

„Sie wird doch nicht — ", dachte ich; aber schon schwammen die beiden Eier darin und stumm und starr kehrte ich zu meinen vor Hunger bereits ganz tiefsinnig drein schauenden beiden doctores med. und phil. zurück.

Die Eier erschienen. Meine beiden Herren Kameraden wunderten sich sehr, daß die beiden eben noch schneeweißen Eier sich plötzlich durch das Sieden in braune Ostereier verwandelt hatten.

Ich sagte kein Wort.

Das Mißliche war, daß sie inwendig gerade so braun aussahen wie außen. Wie sollten wir nun diese zwei halbweichen Eier unter drei teilen; wer sollte zuerst seinen Drittel obenab saugen?

Großmütig verzichtete ich auf meinen Anteil. Mein Edelmut wurde damit vergolten, daß man mir das einzige Äpfelchen als Dessert überließ.

Und so allseitig gelabt, befriedigt und gestärkt von dem lukullischen Mahl, wobei uns noch zwei Flaschen Wein, die Papa Schäfer wohl nur aus Versehen beigepackt hatte, über einige fehlenden Gänge hinwegtrösteten, setzten wir unsere Weiterreise fort.

Wieder fuhren wir über das Hochplateau von Saada, als plötzlich unser Kutscher mit einem Ruck anhielt und die Flinte hervorzog.

Ein kranichartiger Vogel rannte durch die Tamariskenbüsche. Ein Schuß und der Vogel fiel. Es war eine Wüstentrappe, eine outarde, mit prächtigem Gefieder. Auf dem Kopfe sträubte sich ein weißer Federnkamm, den Hals umgab eine schwarze Federkrause. Der Rücken war braun bedacht und der breite fächerförmige Schwanz braun und weiß gescheckt. Der ganze Bauch erglänzte in schneeweißem Federnschmuck.

Am Rande der Hochebene hatten wir einen unvergeßlich schönen Niederblick auf die weit ausgedehnte Tiefebene von Saada, das Tell, welche das Kamelfutter, die Tamariske und das dazwischen wachsende Steppengras wie einen ungeheuren Samtteppich erscheinen ließen. Unzählige Heerden weidender Kamele, Schafe und Ziegen und dazwischen sich munter herum tummelnde Pferde gaben der nach der Wüste hin sich ins Unendliche verlierenden Ebene ein belebtes Aussehen und die hier und dort eingenisteten Zeltlager der Nomaden unterbrachen mit ihren braunen Flecken, ihren kräuselnden Rauchsäulen, die Monotonie der Farbe.

Im Hintergrund aber zogen sich von rechts her die rötlich schimmernden Felsberge des Aurès, im Halbkreis den Horizont abgrenzend, denen sich links anschließend die sich weit in die Wüste vorschiebenden, im Scheine der Nachmittagssonne fast wie Gold erglänzenden braunen Sandsteingebirge des Ziban zugesellten.

So boten diese Gebirgszüge die schönsten Farben= übergänge, von smaragdgrün in der Ebene, bläulichviolett am Fuße, durch rosa bis zum schönsten goldgelb; der Rücken der Aurèsberge jedoch und namentlich des Haupt= gipfels, des imposanten, langgestreckten Dschebl Amarkadu, schimmerte in einem blendend weißen Burnus, den die kalten Nordwinde darauf gelagert hatten.

Im Mittelpunkte dieses Panoramas aber grüßten aus saftigem Palmengrün die weißen Häuser von Biskra zu uns herüber.

Alles das verlieh dem Panorama ein ungesucht har= monisches Farbenspiel von bestrickendem Reiz.

Es schien, als ob wir Biskra in der nächsten Halb= stunde erreichen sollten und doch hatten wir noch volle drei Stunden zu fahren, bevor wir dort anlangten, so sehr täuscht diese klare, durchsichtige Wüstenluft.

Was wir jetzt im hellsten Sonnenschein genießen durften, hatten wir vor einer Woche im Gefunkel der Sterne durchfahren.

Noch eine steile Uferböschung hinunter durch ein steiniges Bachbett und auf der andern Seite ebenso steil wieder hinauf; noch eine Weile tüchtig durcheinander gerüttelt, so daß wir uns innerlich vorkamen wie Medizinflaschen vor dem Einnehmen und wir fuhren im scharfen Trabe in Biskra ein.

Unser Vorstoß in die Wüste hatte sein Ende erreicht.

Hatten uns alle diese Szenen in den Oasen und durch das Steppenland der Wüste und des Tell an die Bilder der biblischen Geschichte, die Illustrationen von G. Doré erinnert, diese Gestalten in langen, weißen, faltigen Gewändern, nacktfüßig und das Haupt beturbant, diese Karawanen hin und zurück, diese Reiter auf stolzen Berberrossen oder auf kleinen Eselein, so war auch hier wieder dasselbe der Fall.

Dort in einer Umzäunung von arabischem Feigenkaktus saß eine ganze Familie auf dem Rasen: der alte Araber, das Weib und die Kleinen, alle hockten gar gravitätisch auf dem Boden, eingewickelt in ihre Burnus, und hüteten ihre paar Schafe und Ziegen.

Da kommt ein Gnom von einem schneeweißen Burnusmännchen und führt ein Schaf zur Weide.

Die Hirten in der Weihnacht kann man sich bei einiger Phantasie gerade so vorstellen.

Wie es vor Jahrtausenden in Vorderasien war, so sieht es auch heute noch im nördlichen Afrika von Marokko bis nach Ägypten aus.

Auf einem von Ruinen umgebenen Platze spielte eine Schaar Araberknaben mit Bällen, die sie sich vermittelst am untern Ende hackenförmig gekrümmter Palmenrippen zuschlugen.

In ihren flatternden weißen Gewändern, einzelne mit roten Türkenmützen, andere mit über den Kopf gezogenen Kaputzen, sahen sie von weitem aus wie herumflatternde Engelein oder wie altgriechische Gestalten, welche in einem Hain einen Reigen aufführen, Bilder, wie sie die Künstler der Legende und Mythe so gerne auf die Leinwand zaubern.

Von nahem sahen sie allerdings weniger engelgleich
und sauber aus und das Schneeweiß wies an gewißen
Stellen ganz bedenkliche Flecken auf, abgesehen davon,
daß ein Flickschneider genügend Arbeit an den Löchern
und Rissen, den herunterhängenden Lappen und Fetzen
gefunden hätte. Aber diese Defekte paßten in den Rahmen
des Bildes, welches sonst auch gar zu geschleckt und theater=
mäßig, zu sehr wie Bergers und Bergères à la Watteau
ausgesehen hätte.

Doch halt! auch ein solches Bild, nur in orientalischem
Genre, wurde uns vor Augen geführt.

„Und sie gingen hinaus vor die Tore der Stadt und
setzten sich nieder am Rande des Weges."

Richtig, da kommen sie schon — drei arabische Gigerl,
gar zierlich anzuschauen, in schwarz lackierten Pantoffeln,
himmelblauer goldbrodierter Jacke, lilafarbenen Pluderhosen,
darüber den seidenen, silberschimmernden Unterburnus, der
zugleich mit einem zu einem dicken Strick gedrehten, far=
bigen, in der Regel braunen, vielfach um den Kopf ge=
schlungenen Tuche den Turban bildet; über das Ganze den
weißwollenen Burnus.

Und siehe da, sie setzten sich nieder mitten auf der
feuchten Landstraße, streiften die Glanzschuhe ab und
schlugen die Beine kreuzweis unter, wobei ihnen der wollene
Burnus als Sitzteppich diente.

Ganz wie zu alt=Jerusalems Zeiten, als das Volk vor
die Tore zog zum Laubhüttenfest oder — um zu steinigen.

So saßen die drei im Kreise und hielten, das zierliche
Spazierstöckchen mit dem Silberknopf elegant zwischen
den Fingern jonglierend, ein kleines Pallaver ob.

Doch nun genug von diesen biblischen Bildern.

Mit Allem muß man zu einem Ende kommen und es war Zeit, daß wir unsern Gasthof und unsere dort harrenden Freunde aufsuchten, welche sehr überrascht zu sein schienen, daß alle drei zurückkehrten und keiner von einem Löwen auch nur angefressen worden war.

Andern Tages rückte auch das Geniedetachement ein. Wie froh waren die Leute, von ihrer langen strapaziösen Wüstenfußreise ausruhen zu können; als ob es für Soldaten überhaut ein Ausruhen gäbe!? Aber frisches Brod durften sie doch wieder fassen und an den liebevollen Blicken, mit welchen sie die duftenden Laibe jetzt schon verschlangen, konnte man ermessen, welchen Hochgenuß sie sich davon versprachen.

El Kantarah. 100,000 Dattelpalmen.

Biskra hatten wir nun so ziemlich abgegrast und fuhren daher gerne mit dem Mittagszug des folgenden Tages nach El Kantarah zurück.

Nachdem wir uns im dortigen Hotel Bertrand, das mit dem Postgebäude und der Station so ziemlich die ganze Ortschaft bildet, gestärkt und an einem prasselnden Holzkaminfeuer erwärmt hatten, benützten wir den Rest des Nachmittages zu einer Rekognoszierungstour.

An einer altrömischen Brücke vorbei, die, über das Tobel und den wilden Bergstrom führend, den Verkehr von den östlichen nach den westlichen Tälern des Aurèsgebirges vermittelt und welche leider, wie früher schon erwähnt, in unschöner Weise von modernen Architekten verunstaltet worden war, gelangten wir an den mehrmals beschriebenen Engpaß, durch den sich in einem Tunnel die Bahnlinie zieht.

Eine eiserne Brücke führte uns auf das rechtsseitige Ufer.

Von der Mitte dieser Brücke aus genossen wir noch herrliche Ausblicke, rückwärts nach dem riesigen Felsentor, tief unten der brausende Bergstrom, und vorwärts über die über hunderttausend Dattelpalmen zählende Oase, aus welcher wie Festungen beidseitig drei arabische Dörfer herausragten.

Weshalb man so genau weiß, daß die Pflanzung aus über 100,000 Bäumen besteht? Weil eben von jeder Dattelpalme eine Steuer entrichtet werden muß und daher eine exakte Zählung von den Steuerbeamten vorgenommen wird.

Der steinige, schmale Pfad führte uns zuerst hinauf zu dem festungsartig ineinander gebauten Daharuya „le village rouge"; immer dieselben braunen, fensterlosen, an Ruinen gemahnende Lehmmauern.

Längs des Weges bewunderten wir die riesigen, baumhohen Kaktusstauden, dessen Feigenfrüchte von den Arabern gegessen werden, währenddem die dicken fleischigen, stachelbewehrten Blätter als Viehfutter dienen.

Der Abstieg nach dem Flusse führte uns durch die Palmenpflanzungen, welche, wie diejenigen in den Wüstenoasen durch Mäuerchen und Hecken in Parzellen abgeteilt waren und vom Flusse aus bewässert werden.

Über den hier breiter fließenden und daher ziemlich seichten Fluß gelangten wir von Stein zu Stein hüpfend an das jenseitige Ufer in die Ortschaft Grager Dasch

Gublia, in den wir durch ein großes Tor eintraten, jedenfalls ein Überreft altrömifcher Zeit; denn ein Steinpfeiler zeigte die Infchrift: NE·EX·S, deren Entzifferung ich gerne Lateinforfchern überlaffe.

Derartige Infchriften weifen überall auf die fehr ausgedehnte frühere Befiedelung durch die Römer hin. So fand ich im Gafthofe in Biskra folgende Infchriften auf Grabmonumenten:

1) VS SEXTIANVS V LX AN XIIII
   ALMOS A V IX AM III
   NT· MVCIA· MAXIMOS - N.
   ET GARGILII RATRES·

2) SOMNO AETERNALI
   GARGILIO MAXIMO VET
   FEC ERVNT MAXIMOSA CON
   EI FILI EORVM VIXAN
     L· L IL.

Daß Grager Dasch Gublia übrigens auch von den Türken als wichtiger Vorpoften nach der Wüfte hin erkannt und dementfprechend gebaut worden war, bewiefen die großen türkifchen Häufer mit weiten, aus altrömifchen Steinpfeilern errichteten Eingangstoren.

In diefen geräumigen Toreingängen, fowie auch in den nach der Straße zu offenen Erdgefchoffen kauerten Araber, welche Halfa fortierten und fäuberten; im Allgemeinen aber arbeiten diefe Araber erbärmlich wenig.

Halfa einbringen, fortieren und fäubern, die Dattelpflanzungen bewäffern und die Früchte ernten, Arbeiten, die einen kleinen Teil des Jahres in Anfpruch nehmen,

sind ihre Hauptbeschäftigungen. Die übrige Zeit des Jahres
lungern sie in ihre Burnus eingemummelt an der Sonne
herum, schlürfen Kaffee, rauchen ihre Pfeifen und plaudern
oder hüten in den eingezäunten Pflanzungen ihre Schafe
und Ziegen.

Die Halfapflanze, welche früher durchaus unverwendbar
als Unkraut wucherte, ist, seitdem ihre vorzüglichen Eigen=
schaften, Geschmeidigkeit bei außerordentlicher Zähigkeit, als
ganz vorzüglich für Flechtwerk aller Art und Seilerfabrikate,
ja sogar Gewebe, erkannt worden waren, ein bedeutender
Ausfuhrartikel geworden.

Spanische Einwanderer, vor noch nicht gar langer Zeit
die Nutzbarmachung der Halfa erkennend, hatten mit der
Ernte dieser Pflanze den Anfang gemacht und heute ver=
schafft sie vielen armen Arabern Arbeit und Verdienst,
wenn dieselben überhaupt arbeiten wollen.

Ergötzlich war es, wenn wir in der engen Straße
(rue de Noaso) Maultieren begegneten, welche des An=
blickes der Fremden ungewohnt, von panischem Schrecken
ergriffen, plötzlich stockten, kehrt machten und ihren Treibern
ausrissen. Da gab's kein Halten mehr.

Den nächsten schönen Morgen wollten wir nicht taten=
los vorübergehen lassen. Eine Wagenfahrt führte uns
wieder über die eiserne Brücke und Daharuya hinweg
und der Palmenpflanzung entlang in eine weite Ebene.

Wieder waren es rötliche Felsengebirge, welche die=
selbe umsäumten und aus der Ferne grüßten uns unsere
alten Freunde, die Gipfel des Ziban.

Der Weg führte uns neuerdings über den Fluß auf
die andere Uferhöhe hinauf zu einem alten, verlassenen,

französischen Fort, wo uns eine wundervolle Aussicht zu
Teil wurde.

Tief unten schlängelt sich der Fluß durch den gewal=
tigen Palmengarten; arabische Weiber und Mädchen in
weißen und roten Gewändern halten darin ihre Wäsche
ab und beleben mit ihren Farbeneffekten das Bild in
lieblichster Weise. Hoch oben ragt aus dem satten Grün
festungsartig Daharuya empor, so daß auch die Romantik
zum Ausdruck gelangt.

Worte reichen nicht aus, um die unbeschreibliche Schön=
heit dieses Landschaftsbildes zu veranschaulichen, man muß
selbst den Niederblick auf die Tausende von Palmenkronen,
durchzogen von dem Silberband des El Kantarah=Flusses,
genossen haben, um es in sich aufnehmen zu können.

Wendet man den Blick nördlich, so wird das Ganze
abgeschlossen durch die senkrechten Felswände des Aurès
und nur eine scharfkantig klaffende Öffnung, der „Mund
der Sahara“, deutet die Verbindung zwischen Wüstenregion
und Kulturland an.

Südwärts in der Ferne schieben sich die schon erwähnten
Gebirgszüge wie ein Querriegel vor und bilden scheinbar
einen vollständigen Abschluß nach dieser Richtung.

Die denselben vorgelagerte Ebene ist das Tummelfeld
der Gazellen und auf den merkwürdig geformten Vorbergen,
mit grandiosen würfelförmigen rot erschimmernden Fels=
blöcken übersät, sind die Weideplätze des scheuen moufflon,
des kräftig gebauten, starkbemähnten algerischen Bergschafes.

Ein in der Kette weißlich erglänzender Berg, der von
dem übrigen roten Felsgebirge grell herausstach, soll aus
Alabastergestein bestehen.

Nur ungern wandten wir uns von dem herrlichen Ausblicke ab.

Ein arabisches Kaffeehaus an der Landstraße lud uns so freundlich ein, daß wir nicht widerstehen konnten, zumal uns ein französisches Reisepärchen zurief, daß der Kaffe vorzüglich sei. Und wirklich war es so und mit einem Gefühle wahren Hochgenusses schlürften wir, im Kreise faullenzender Araber an der Sonne gelagert, das köstliche arabische Nationalgetränk, das uns bei dem eisigen Nordwind und bei nur 2° R über Null außerordentlich wohl tat und einen angenehmen Wärmeeffekt erzeugte.

Nochmals ging es durch den oberen Teil von Grayer Dasch Gublia an einem klaren Bächlein vorbei, in welchem arabische Mädchen hochgeschürzt mit nackten Füßen auf flachen Steinen nach dem Takte eines arabischen Liedchens Wäsche stampften.

Lachend riefen sie uns ihre Grüße zu und winkten uns noch lange nach; eine letzte freundliche Erinnerung an El Kantarah, das wir am andern Morgen verließen.

Batna und die alte Römerstadt Timgad.

Die Bahn führte uns nach Batna.

Als wir in Batna einfuhren, erschauerten wir vor Kälte. In dem eingeschlossenen Hofraum des Gasthofes lag der die Tage vorher gefallene Schnee meterhoch.

Die Stadt Batna, der Hauptdistriktsort mit großen Kasernen für verschiedene Waffengattungen: Turcos, Zuaven und Chasseurs d'afrique, ist regelmäßig gebaut, mit breiten geradelinigen Straßen und geräumigen Trottoirs, von Platanen bordiert.

Hier ist der Ausgangspunkt nach den alten Römer-
städten Lambaesis (Lambèse) und Thamugadi (Timgad).

Es war ein kühler Morgen, als wir zum Besuche von
Timgad aus dem östlichen Tore von Batna hinausfuhren
und da überdies ein rauher Wind den fehlenden Sonnenschein um so fühlbarer empfinden ließ, wickelten wir uns
wieder in Mäntel und Decken ein.

Batna ist von Mauern und Gräben umgeben, zum
Schutz gegen etwaige Aufstands- und Überrumpelungs-
gelüste der Araber. Vier Tore, je eines nach jeder
Himmelsrichtung, gewähren Ein- und Ausgang.

Das Kasernenviertel ist noch durch ein besonderes
Tor von der übrigen Stadt abgeschlossen. Durch dieses
Quartier, an den geräumigen Kasernen, den Offiziers-
wohnungen und dem Offizierskasino vorbei, fuhren wir
nun in die frische Luft hinein.

Der Weg führte uns nach einer Fahrt von circa
10 Kilometer Länge nach Lambèse, wo sich zu Römer-
zeiten das Lager der III. Legion des Augustus befand.

Gleich am Eingang ragt das Prätorium empor, ein
bis zur Dachhöhe erhaltener imposanter Bau, der Amts-
sitz des römischen Legaten. Gewaltige Bogenkonstruktionen
tragen das Dachgesims; das Innere dient nun als
Museum für die Bruchteile römischer Architektur, Statuen
2c. 2c., welche in der Umgegend aufgefunden werden.

In einiger Entfernung war das restaurierte Grabmal
des Legaten Quintus Flavius zu erblicken, ein massiver
rechteckiger Unterbau, der einen quadratischen Conus trägt.

In der Nähe des Prätoriums wird in einer Garten-
anlage ein sehr schöner Mosaikboden, die vier Jahres-

zeiten darstellend, gezeigt, wovon das Mittelmedaillon Bacchus noch vollständig erhalten ist.

Weiter führte uns die Straße durch das frühere Lager und die Stadt Lambaesis hindurch an Ruinen von Thermen, Tempeln, Forum, Amphitheatern, Friedhöfen, Wasserleitungen und den beiden Triumphbogen der Kaiser Commodus und Severus vorbei in der Richtung nach Timgad.

Das Tal erweitert sich zu einem ausgedehnten Kessel, der in weiter Ferne von den gewaltigen Gebirgszügen des Aurès umrahmt wird.

In der Mitte des Tales erhebt sich eine sanft an-steigende Anhöhe, die in einen mäßig hohen, oben ab-geflachten Gipfel ausläuft. Das ist Timgad.

Bevor wir nun die Trümmerstadt besuchen, erwärmen wir uns an einem Holzfeuer in der als Restaurations-lokal dienenden Hütte.

Und nun auf breiter gepflasterter Römerstraße hinan durch das Trümmerfeld der links und rechts sich weit ausdehnenden Vorstadt der Armenbevölkerung, des Plebs.

Daß die alten Römer auch die Fürsorge für die Minderbegüterten pflegten, bewies uns das groß angelegte Armenbad in dieser Vorstadt.

Nun folgt eine breite, mit großen Fliesen gepflasterte Querstraße, der Heerweg von Karthago nach dem atlan-tischen Ocean. In diese Fliesen eingeschnittene Geleise-rinnen zeugen von einem regen Wagenverkehr.

Eine fast unabsehbare auf hohem Sockel stehende Säulenreihe schließt die eigentliche Stadt nach der Seite des plebeiischen Viertels ab.

Wendet man sich von der nach der Höhe sich hinan=
ziehenden Straße zuerst nach links, so betritt man das
Forum, ein großes mit Steinfliesen belegtes Rechteck,
welches auf der linken Längsseite, sowie auf der oberen
kürzeren Flucht durch die Räume der Kauf= und Wechsel=
geschäfte, die Bureaux der Schreiber, Makler ꝛc. ab=
geschlossen war.

Diese Räume sollen unter der Herrschaft der Byzan=
tiner in der ersten Hälfte des sechsten Jahrhunderts als
Pferdeställe benützt worden sein.

Nach der Seite der Querstraße, der großen Heerstraße
von Ost nach West zu, wird das Forum, wie schon
erwähnt, durch einen Säulengang abgeschlossen, der jeden=
falls auch als Promenade für Müßiggänger benützt
wurde, denn auf den sehr breiten Randfliesen sind
verschiedene Spiele eingemeißelt. Eines derselben war
ein Kugelspiel. Die schön ausgemeißelten Kugellöcher,
von der Größe eines mitten durchgeschnittenen kleinern
Billardballes sind symmetrisch angeordnet, ähnlich der
Kegelstellung eines Kegelspieles.

Ein anderes zeigt ein der Windrose ähnliches Bild,
mit den Inschriften: venari, lavari, ludere, ridere, hoc
est vivere (jagen, baden, spielen, lachen, das ist leben).

Von der ganzen Stadt sind mit wenigen Ausnahmen,
welche eine vollständigere Erhaltung zeigen, höchstens die
Grundmauern bis über Sockelhöhe erhalten.

Wir betreten nun ein vornehmeres Wohnhaus.

In dem geräumigen Vestibüle sind zur Linken und
zur Rechten 60—80 Centimeter hohe Steinplatten auf=
gestellt, die, in schön geschwungener Schlangenlinie aus=

gehauen, jedenfalls als Abschlußwände für Aquarien oder
zur Aufnahme von Zierpflanzen dienten, womit der Eingang geschmückt war. Dann betritt man den kleinen
Innenhof mit den daran stoßenden Gemächern. Ein
seitlich durch die ganze Länge des Hauses sich hinziehender
Raum war der Gesellschaftssaal.

So hat man die Grundrisse sämtlicher Häuser der
ganzen Stadt vor Augen und was speziell von der
Wohlhabenheit der damaligen Bewohner zeugt, ist der
Umstand, daß so zu sagen alle Häuser durchweg Mosaikfußböden zeigen.

Zum Schutze gegen die Witterungseinflüsse sind diese
Böden mit einer Schicht feinen Sandes bestreut worden.

Unser Begleiter, der Leiter der Ausgrabungen und
Verwalter des kleinen Museums, das in dem von ihm
bewohnten bescheidenen Häuschen vorläufig eine Unterkunft
gefunden hatte, war so zuvorkommend, an verschiedenen
Stellen den Sand zu entfernen, sodaß wir uns überzeugen
konnten, daß so zu sagen die ganze Stadt mit Mosaikböden
ausgestattet war.

Er war auch so freundlich, uns alle nur wünschens-
werten Auskünfte über Daten, Maße ꝛc. zu erteilen, die
ich nun in dieser Schilderung verwerten konnte.

Seitlich von dem Forum befinden sich die öffentlichen
Latrinen.

Eine ganze Reihe steinerner Sitzplätze, vor welchen
sich ein schmaler Ablaufgraben hinzieht, ist so gut erhalten
und die Sitze sehen so appetitlich aus, daß sie förmlich
zur Benützung einladen. Es ist aber verboten, weil die
Kanalisation nicht mehr funktioniert.

Wir steigen nun hinauf und erreichen das Theater, welches in seiner Anlage noch in so gutem Zustande ist, daß man es beinahe zu Aufführungen benützen könnte.

Zuerst zeigt sich unserem Auge die mit breiten Fliesen belegte Bühne, an deren Rampe von Distanz zu Distanz quadratische Löcher eingehauen sind, zur Aufnahme von Masten, welche das bis zum Gipfel des Hügels, an dessen Abhang halbkreisförmig die Zuschauersitze angebracht waren, reichende Zeltdach trugen.

Möglich, daß dieses Sonnendach sich auch nur über die Bühne und über die vornehmeren Sitzplätze erstreckte.

Hinter der Bühne zog sich in der ganzen Breite derselben ein Saal, das Foyer hin. Dieser Raum ist von der Bühne durch eine auf gemauertem Sockel aufgestellte Säulenreihe abgetrennt, an welcher vielleicht das die Bühne beschattende vorerwähnte Sonnendach befestigt sein mochte.

Eine kurze Marmortreppe führt uns in den vor der Bühne liegenden Musikraum hinunter, der halbkreisförmig angeordnet und mit Marmorfliesen belegt, von der Bühne durch eine Marmorwand abgetrennt ist.

Die etwas tiefere Lage desselben gestattet den dahinter angeordneten marmornen Sitzplätzen der vornehmen Welt den freien Ausblick auf die Bühne. Diese Sitzplätze sind in mehreren Reihen noch sehr gut erhalten; die darüber liegenden jedoch sind verschwunden. Wahrscheinlich wurden sie von den erobernden Byzantinern zu Bauzwecken verwendet.

In dem Musikraum mögen sich auch die Begleitungschöre aufgestellt haben.

9

So hat man hier ein sehr übersichtliches Bild über eine vollständige römische Theateranlage; es fehlen nur die Acteurs und das Publikum.

Unmittelbar neben dem Theater, auf der südlichen, von der Stadt selbst abgekehrten Abdachung des Höhenkammes zeigte man uns die einstigen Wohnungen der Courtisanen.

Recht luxuriös mögen sie seiner Zeit ausgestattet gewesen sein, wofür ja in erster Linie die bevorzugte Lage spricht.

Hier, abgewendet von dem Getriebe der Stadt und doch zunächst dem Sammelplatz der damaligen eleganten Welt, dem Theater, mit freiem Ausblick auf den südlichen, von mächtigen Gebirgszügen abgegrenzten Talkessel, war jedenfalls die mit feinem Raffinement ausgesuchte Lage für Rendez-vous intimeren Charakters sehr schön ausgewählt.

Wie man wohl zur Annahme gelangen konnte, daß diese Überreste die Wohnungen der Courtisanen gewesen waren? Möglicherweise durch aufgefundene Inschriften, ich weiß es nicht mehr genau.

Von diesem Hügelkamm aus, der sich vom Theater weg hinüber zieht bis zum Kapitol, genießt man nun eine herrliche Rundsicht über die Anlage der Stadt und ihre Umgebung. Vorzüglicher hätten die alten Römer die Lage nicht aussuchen können. Die Stadt bildet das erhöhte Centrum eines weiten Talkessels, das pulsierende Herz der Lebetätigkeit, die sich in diesen einst fruchtbaren Ebenen und Berghängen entwickelt haben mochte.

Von der Stadt abgewendet nach Süden erblickte man in ungefähr einem halben Kilometer Entfernung das große, aus den Trümmern der zerstörten Stadt erbaute byzantinische Fort und etwas näher die große dreischiffige, ebenfalls byzantinische Basilica.

Darüber hinaus in ziemlicher Ferne die Gebirgszüge des Aurès, aus welchen der 2323 Meter hohe Dschebl Schelja, der höchste Berg Algeriens, in seinem silberglänzend schimmernden Schneemantel herausleuchtet.

Timgad selbst liegt 1072 Meter hoch, eine Höhenlage, die jedenfalls mit Rücksicht auf Sanität und Temperatur mitbestimmend für die Anlage der Stadt gewesen sein mag.

Wendet man sich um, so liegt auf sanftem Abhange die ganze Trümmerstadt in ihrer vollständigen früheren Ausdehnung zu Füßen; eine wahre Totenstadt in einer ausgestorbenen Landschaft.

Wenn man sich vergegenwärtigt, welches reiche, regsame Leben hier vor vielen Jahrhunderten fluktuiert haben muß, wie in der weiten Ebene und an den Hängen der Berge Ortschaften die Landschaft belebten, wie fleißige Ackerbauer ein wahres Kulturparadies zur Verproviantierung der gewerbsamen Stadt geschaffen haben mochten, wie zahllose Wanderer, Karawanen, Heeresmassen von Osten nach Westen, von Karthago nach den Säulen des Herkules und zur Wüstenregion auf der großen Heerstraße einhergezogen kamen und Leben und Farbe in das landschaftliche Bild brachten und jetzt, so weit das Auge reicht, kein Lebewesen, Alles tot, tot, ausgerodet und ausgestorben; statt Kulturland Wildnis, nichts als Wildnis, so drängt sich unwillkürlich der Ausruf auf die Lippen: sic transit gloria mundi!

Und doch wird auch die Zeit wieder konmen, da diese schöne Gegend neuerdings aus ihrer Todesstarre erlöst werden wird.

Ein modernes Kulturvolk hat von dem Lande Besitz ergriffen und unter der Garantie der persönlichen Sicherheit, der Fürsorge in Bezug auf Transportwege und Transportmittel, nimmt die Agrikultur einen mächtigen Aufschwung. Immer weiter bringt sie von der Küste her nach Süden vor und bald wird sie auch dieses schöne geschützte Tal, diesen weit ausgedehnten bergumsäumten Talkessel erreichen und neues Leben, neuen Fleiß der Hände hervorzaubern. Was früher schon war, kann auch wieder werden.

Von dem Höhenkamme aus, auf dem wir stehen, überschaut man die lange Säulenreihe der das Weichbild der eigentlichen Stadt abschließenden, quer verlaufenden Heerstraße, welche nach Westen in dem prächtigen Triumphbogen des Kaisers Trajan für die Stadt ihren Abschluß findet. Noch viele Kilometer weit soll sich diese Straße mit Fliesen gepflastert hinziehen und sie könne sogar bis nach Karthago verfolgt werden.

Wir statten nun vorerst den ebenfalls auf der Höhe liegenden Thermen, dem großen Badepalast, unsern Besuch ab.

Zuerst betreten wir die Stelle, wo der große Saal war, in welchem die Leibesübungen, Spiele, Konversation, das Ausruhen zur Reaktion nach dem Bade stattfanden. Dieser mit Mosaikbildern belegte Boden mißt 24 Meter Länge auf 9 Meter Breite. Nun folgen die verschiedenen Gemächer für Heißluft-, Dampf- und Heißwasserbad. Das rechteckige, aus Stein gehauene, geräumige Heißwasserbad,

in welchem sich eine größere Anzahl Personen herumtummeln konnten, ist so vollständig intakt, daß es heute
noch benützbar wäre; ebenso auch andere Bassins.

Eine Treppe führt uns hinunter zu den Feuerstellen.
Hier in diesem unterirdischen gewölbten Gange hielten
sich die Sklaven auf, welche die Heizung besorgten.

Eine Anzahl dieser Öfen und der Abzugskamine ist
noch so erhalten, wie sie seiner Zeit zum regelmäßigen
Gebrauch dienten. Noch heutzutage werden sie von
Nomaden und Schäfern als Feuerstellen zum Kochen
benützt.

Auch die Leitungskanäle, welche den verschiedenen
Bassins das Wasser zuführten, sind noch erkenntlich.

Man muß wirklich staunen, daß eine Stadt von
50,000 Einwohnern sich vor bald zweitausend Jahren so
großartige und luxuriöse öffentliche Bäder leisten konnte,
währenddem heutzutage Städte von größerer Bedeutung,
die sich rühmen können, in Bezug auf Fortschritt und
Adoptierung moderner Ideen auf allen Gebieten des
Gemeinwesens vorbildlich zu sein, sich noch nicht einmal
bis zur Höhe eines öffentlichen Warmbades, eines
Schwimmbades im Winter, in bescheidenster Ausführung
empor schwingen können.

Eine gewaltige Säule, die auf einem monumentalen
Tempelperron steht, lenkt unsere Schritte abwärts, über
Mosaikfußböden der ehemaligen Wohnhäuser, nach dem
Kapitol und dem in Trümmer liegenden Tempel des
Jupiter Capitolinus, zu welchem diese Riesensäulen gehören.

Ähnlich wie man an der Seitenkante der Pyramiden
emporklettert, so klimmen auch wir mit Händen und

Füßen zu diesem großartigen Tempelperistyl empor.
Neben dieser Riesensäule, die über 1½ Meter Durch-
messer und 16 Meter Höhe mißt, kamen wir uns zwergen-
haft klein vor und als wir gar das zu unseren Füßen
sich erstreckende Trümmerfeld von Überresten von Bild-
werken, Monumenten, Säulen und enorme Säulenkapitäle
von über 1½ Meter Höhe und mehr als 2 Meter Durch-
messer, überschauten und überhaupt über diesen Unterbau
eines Tempels, der, für eine verhältnismäßig kleine Stadt
erbaut, ein Rechteck von 90 Meter Länge auf 66 Meter
Breite bedeckte, Umschau hielten, wie klein erschienen uns
da im Vergleich die modernen Monumentalbauten, Kirchen,
Paläste ꝛc. unserer großen Residenzstädte.

„Nur eine einz'ge Säule zeugt von entschwund'ner
Pracht", murmelte mein Begleiter, als er sich von der
erhabenen Einsamen auf riesenhaftem Piedestal trennte
und vorsichtig auf allen Vieren auf der Kante des mächtigen Unterbaues herunterkletterte.

Ja wohl hätte Ludwig Uhland hier über entschwund'ne
Pracht sinnen und dichten können, denn ein monumentaler
Überrest reihte sich an den Andern und kaum fünfzig
Meter von dem zerfallenen Tempel stehen wir auf einem
mit breiten Steinplatten gepflasterten Platz, der auf der
obern Schmalseite in einer Reihe von Nischen seinen Abschluß findet.

Es ist der obere Marktplatz, derjenige der dem Verkauf von Fleisch, Früchten und Gemüse diente.

Die Nischen, von welchen einige noch in vollständig
gutem Zustande sind, waren für den Fleischverkauf bestimmt
und der Luxus, welcher auf dieselben verwendet worden

war, denn jetzt noch finden die trennenden Seitenwände nach vornen in sehr hübschen Säulen mit Kapitälen von verschiedenartiger Skulptur ihren Abschluß, beweist, daß schon zur Zeit der alten Römer der Metzgerberuf ein sehr lohnender gewesen sein muß.

Als Kuriosum sei erwähnt, daß heute noch vor jeder Nische der mächtige steinerne Haubank steht, auf welchem die zahllosen durch das Haumesser verursachten Einschnitte so scharf eingekerbt sind, als ob erst gestern darauf Fleisch zerschnitten worden wäre.

Einige Stufen führen uns hinunter auf den untern Marktplatz, der dem Fischverkauf und dem Handel mit verwandten Artikeln diente.

So war eine reinliche Scheidung vorgesehen zwischen den sauberen Marktwaren und denjenigen, welche mehr Schmiererei verursachten; womit aber durchaus nicht gesagt sein soll, daß eine schöne Forelle oder eine mit frischen Austern appetitlich belegte Platte an und für sich schon eine Schmiererei sei.

Die alten Römer werden es auch nicht so aufgefaßt haben.

Den Schluß unserer Besichtigung bildete das besterhaltene Monument Timgad's, der Triumphbogen des Trajan, der mit einem höheren Mittelbogen von 4 Meter Breite für den Fahrverkehr und zwei niedrigeren Seitenöffnungen von je 2 Meter Breite für die Fußgänger, die Heeresstraße überspannt.

Über den Seitenpforten sind Nischen zur Aufnahme von Statuen angebracht und der Bogen selbst ist mit vier korinthischen Säulen geschmückt, welche seitlich und zwischen den Toröffnungen aufgestellt sind.

Auf dem Gesimse über dem Mittelbogen war eine
Inschrift angebracht, welche zertrümmert, jedoch wieder
hergestellt werden konnte und besagte, daß Thamugadi
unter der Regierung Trajans um das Jahr Hundert unserer
Zeitrechnung, durch den kaiserlichen Legaten Lucius Mutatus
Gallus gegründet worden war.

Noch einen kurzen Besuch dem kleinen Museum am
Eingang zur Stadt, in welchem Bruchteile von sehr
schönen Statuen, alle Sorten Münzen und wertvolle
Schmuck- und Kunstgegenstände, die während den Ausgrabungen aufgefunden wurden, aufbewahrt werden und
wir kehren dieser interessanten altrömischen Stätte den
Rücken.

Man hat öfters Timgad mit Pompeii in Parallele gezogen und ein Vergleich drängt sich auch unwillkürlich auf.
Jede dieser antiken Ruinenstädte hat ihre Vorzüge, wodurch sie sich von der andern unterscheidet.

Timgad veranschaulicht mehr als Pompeii die Gesamtanlage einer größeren Römerstadt, eines Centrums, das
uns alle öffentlichen und privaten Anstalten und Einrich-
tungen in ihrer Anordnung und Eingliederung in das Ganze,
jedoch fast nur in den Grundrissen vor Augen führt,
währenddem Pompeii, obschon eine bedeutend kleinere
Stadt, dadurch daß die Häuser, so wie sie bewohnt waren,
beinahe vollständig erhalten sind, einen genauen Einblick
in die Wohnungsverhältnisse, in die intimere Häuslichkeit
der alten Römer gestattet und in dieser Hinsicht des
Interessanten mehr bietet und eine größere Wirkung auf
den Besucher ausüben mag. In Pompeii befindet man
sich in einer Stadt, in welcher eigentlich nur noch die

Bewohner fehlen, in Timgad auf einem mit Mauerwerk markierten Stadtplan.

Beide Städte sind in ihrer Form höchst originell und sehenswert.

Froh waren wir, als wir Abends im Café des Hotels die Füße gegen den beinahe glühendroten eisernen Ofen strecken konnten; denn halb erfroren waren wir von unserer Fahrt zurückgekehrt.

Der nächste Vormittag war für eine Ausfahrt nach dem Pic Tougourt bestimmt, einer ca. 12 Kilometer südlich von Batna sich erhebenden mit prächtigem Cedernwald bestandenen 2100 Meter hohen Bergpyramide.

Hatten wir schon den Tag vorher gefroren, daß die Zähne klapperten, so war es nun fast gar nicht zum Aushalten, als wir zu zweien in einem leichten Fuhrwerk taleinwärts fuhren. Nun klapperten auch noch die Knochen im Leibe, denn der eisig kalte Wind, der von den schneebedeckten Gipfeln des Aurès auf uns herniederfuhr, blies geradezu durch und durch.

Ich glaube, ich habe meiner Lebtag noch nie so jämmerlich gefroren! —

Gegen die durchdringende Kälte schützten keine Decken und Shawls, sogar die Sonne schien eisige Strahlen herab zu senden, und erst als wir das Tal durchquert und auf dem westlichen Gelände im Schutze der Gebirge dahin fahren konnten, wo es windstill wurde, ward uns wieder wohler.

Als wir nun gar um den vorspringenden Berg herum in ein liebliches Seitental einfuhren, wohin kein Windhauch drang und die Sonne wieder wärmer schien, da konnten wir die Decken beiseite werfen und uns so recht unseres Daseins freuen.

Ein wirklich idyllisches Tal war es, in welchem wir nun langsam bergan fuhren.

Algerisierte Europäer, aber auch seßhafte Araber und Kabylen, haben durch gut angelegte Kulturen den Beweis erbracht, wie erträglich der algerische Boden in solchen geschützten Tälern durch fleißige landwirtschaftliche Bearbeitung ausgebeutet werden kann und wie sehr sich auch Araber und Kabylen Feldwirtschaft und Ackerbau zu Nutzen ziehen können.

Bei der Maison Forestière am Fuße des Pic stiegen wir aus und nun beginnt eine Schneewanderung die Höhe hinan, als ob wir uns in einer nordischen Winterlandschaft befänden.

Nicht daß wir den Gipfel des Tougourt ersteigen wollten, dazu hätte uns die Zeit gefehlt; auch wurde uns von Leuten, die denselben kürzlich erklettert hatten, mitgeteilt, daß die Spitze vollständig vereist und eine Besteigung derselben daher mit außergewöhnlichen Anstrengungen verbunden sei.

Wir begnügten uns bis zu den Cedern empor zu dringen und hatten auch bald die Genugtuung, einige Prachtexemplare von der Größe unserer alpinen Wettertannen, jedoch mit weit mehr ausgedehnter Krone, zu erreichen.

Weit ab vom mächtigen Stamme erstreckte sich das mit dunkelgrünen, fichtenartigen Nadeln besetzte und mit großen Zapfen, die, verschieden von den Tannzapfen, mit herme-

tisch dicht anschließenden Schuppen bedeckt waren, behangene
Geäst.

Damit war unserer Neugierde Genüge geleistet und
fröhlich stapften wir wieder durch den Schnee talwärts
zu unserm Fuhrwerk, beseelt von dem befriedigenden Ge=
fühl, einen sehr schönen Vormittag in der heimeligen Ein=
samkeit eines lieblichen Bergtales Algiers verlebt zu haben,
ohne daß uns auch nur ein Kellnerfrack oder ein Touristen=
gigerl in die Quere gekommen wäre.

Die Schadenfreude aber über die kalten Februartage
in Europa, die ich mir in satanischer Lust zu Schulden
kommen ließ, als ich mich im warmen Sonnenschein be=
haglich auf dem Wüstensande ausgestreckt hatte und mir
in grausamer Boshaftigkeit so recht ausmalte, wie nun
alle meine lieben Verwandten, Freunde und Bekannten
zu Hause vor grimmiger Kälte schlottern mußten, die habe
ich durch diese beiden kalten Tage und namentlich meine
an diesem Vormittag halb abgefrorenen Glieder ehrlich
und redlich abgebüßt.

So bewahrheitet es sich eben immer wieder, daß der
boshaft veranlagte Mensch in der Regel damit gebüßt
wird, womit er gesündigt hat. Und es ist recht so.

Noch denselben Nachmittag entführte uns der „Blitzzug"
von Biskra nach Constantine und nochmals genossen wir
den herrlichen Fernblick auf die imposante Bergfeste, bis
ich neuerdings im Grand Hôtel abstieg, wo man mich
schon mehr stammgastgemäß behandelte.

Die Geyser von Hammam Meskutin.

Nach Hammam Meskutin war am folgenden Tage die
Losung und ostwärts eilte nach dem Mittagessen der Zug,
nachdem er von El Krub, wo die Linien von Algier,
Biskra, Bône, Tunis zusammentreffen, abgezweigt war.

Die wärmere Temperatur an jenem Nachmittag zeugte
nicht nur von einer milderen Witterung überhaupt, sondern
auch davon, daß wir bedeutend von der Höhe in tiefere
Regionen hinuntergestiegen waren, von 1000 Meter in
Batna bis auf 400 Meter und das bewiesen uns auch
die reichen Kulturen, welche wir nun durchfuhren.

Neuanlagen von Weinbergen wechselten ab mit reichen
Olivenhainen und Feldern, auf welchen die verschieden=
artigsten Cerealien gepflanzt wurden.

Eine breite weiße Dampfwolke, als ob eine ausgedehnte
Brandstätte ihre Rauchmassen himmelwärts sende, fesselte
unser Auge. Es sind das die über den heißen Quellen
von Hammam Meskutin schwebenden Wasserdämpfe.

Schon auf dem Wege zu den auf einem erhöhten
Plateau gelegenen Bädern fuhren wir an einer enormen
bogenförmigen silberweiß glänzenden Felswand vorbei, die
uns an einen in leuchtenden Wasserfällen zu Tal stürzenden
Gletscher gemahnte. .

Die Badanlagen bestehen aus Gebäulichkeiten, die
meistens nur ein Erdgeschoß besitzen und in einem Rechteck
um eine Parkanlage erstellt sind.

Auf der einen Seite steht das Wohnhaus des Bade=
arztes, auf den anderen sind die Restaurationsräumlichkeiten,

die Gaſtzimmer und die Wohnungen für das Perſonal,
ſowie die Badezellen errichtet.

Mein erſtes war natürlich ſofort ein heißes Bad zu
beſtellen.

Ich mußte geraume Zeit warten, bis dasſelbe durch
Zuleitung von kaltem Waſſer genügend abgekühlt war;
denn das Waſſer fließt mit 95° C Wärme in das Baſſin.
Es war dann aber auch ein herrlicher Genuß, in dieſem
geräumigen Badebaſſin herumzuſchwadern und den Wüſten-
menſchen herunter zu ſchwemmen bis allmählich der Europäer wieder zum Vorſchein kam.

Das Waſſer ſoll heilſam wirken bei Rheumatismen
und verwandten Übeln, auch leicht abführen, obſchon es
keine ſpeziellen mediziniſchen Eigenſchaften beſitzt.

Daß aber ſchon die alten Römer die Heilkraft dieſer
heißen Quellen zu würdigen wußten, bewieſen die zahlreichen Fragmente und auch ganz erhaltene Skulpturwerke,
welche die Parkanlage umſäumen und die in verſchiedenen
Variationen dem Aesculap geweiht ſind.

Ein Monument trägt auf dem Piedeſtal die Worte:

PRO SALVTE.

Auf dieſem Poſtament ſteht Gott Aesculap mit dem
Schlangenſtab und neben ihm erhebt ſich ein kleiner Altar,
der von einer Lorbeerguirlande eingeſäumt iſt und auf
dem das Attribut des Gottes, die Schlange, ſowie ein kugel-
förmiger Gegenſtand (möglicherweiſe einen Apfel aus den
Gärten der Heſperiden verſinnbildlichend) ſich zeigt, hinter
welchen eine Altarflamme brennt.

Auf der Vorderseite dieses Altars sind die Worte eingegraben:

GENIO

DOMVI

SACR

woraus geschlossen werden darf, daß diese Heilstätte in
der Tat dem Gott Aesculap, dem Genius dieser Stätte,
geweiht war.

Am andern Morgen lud mich der helle Sonnenschein
zu einem Ausflug nach einer Grotte ein, die einige Kilometer entfernt von den Bädern lag.

In Begleitung eines Kabylen, der als Taglöhner an-
gestellt war und etwas weniges französisch verstand, stieg
ich auf angenehmem Fußpfad bergan. Der Kabyle war
europäisch gekleidet und trug nur um den Kopf ein turban-
artig gewundenes Tuch. Die Kleidung war ziemlich
mangelhaft und entsprach den neuesten Modejournalen in
keiner Weise.

Alle Araber oder Kabylen, mögen sie auch noch so
elegant europäisch gekleidet sein, ebenso alle, welchen
vielleicht abgetragene und zerfetzte europäische Arbeitskleider
geschenkt worden waren, wie z. B. meinem Begleiter, tragen
als Kopfbedeckung entweder dieses turbanartige Tuch oder
die Schescha (rote Mütze), ähnlich wie auch die hochmodernen Türken und Ägypter sich von ihrem Tarbusch nicht
trennen können.

Damit soll jedenfalls der Religionsunterschied gekennzeichnet werden.

Bald gelangten wir in die Region der mächtigen Olivenbäume und je höher wir stiegen, je gewaltiger wurden

auch die Stämme, an welchen die hohe und weitverzweigte
Krone schon auf Manneshöhe beginnt. Einer derselben,
den ich ungefähr in der Mitte zwischen Krone und Wurzel
maß, ergab den erstaunlichen Umfang von 6,7 Meter.

Die Grotte war nicht von besonderer Ausdehnung und
Tiefe. Sie barg einen kleinen See; dessen Wasserfläche
eine Araberin im Scheine von brennenden Spähnen er-
glänzen ließ, ohne mir deshalb eine besondere Hochachtung
vor diesem Naturwunder abgewinnen zu können.

Auf dem Rückwege hörte ich jenseits eines bewaldeten
Bordes von Kinderstimmen arabische Melodien ertönen.
Ich erstieg das Bord und sah unmittelbar zu meinen Füßen
ein halbes Dutzend Mädchen und Knaben in der sonnigen
Halde lagern.

Mich erblicken und wie Hühner vor einem Raubvogel
den Hang hinunter nach einer arabischen Bauernhütte
davon eilen, fand schneller statt, als es beschrieben werden
kann. Nur ein kleines etwa zweijähriges, splitternacktes
Ding konnte den größeren nicht folgen und nun stimmte
es angesichts der ihm drohenden Todesgefahr ein furcht-
bares Wehegeheul an, so daß die andern endlich ihrer
rasenden Flucht Einhalt taten und zögernd bis auf eine
sichere Entfernung sich zu nähern begannen.

Sonstücke, die ich ihnen nun zuwarf, beschleunigten
ihre Rückkehr; sogar das zu Tode geängstigte kleine Wesen
vergaß sein Wehgeschrei und verlegte sich eifrig aufs Ein-
sammeln der roten Dinger.

So wirkte die Macht des Geldes sogar auf diese Natur-
kinder, ein bedeutsames Zeichen beginnender Civilisation.

Eine ähnliche Episode taucht in meiner Erinnerung auf, als ich vor vielen Jahren von Hiogo aus eine Reise quer durch Japan nach den Silberminen von Ikuno unternahm.

Meinen ersten Halt nach einer Tagesfahrt in der Dschinriksha (Mannkraftkarren) machte ich in der Stadt Schimedschi, welche, wie man mir versicherte, ca. 200,000 Einwohner zählte.

Mutterseelenallein als einziger Europäer langweilte ich mich in meinem Teehaus und machte daher einen Spaziergang in der belebten Hauptstraße, wobei ich die Ladenauslagen besichtigte.

Die japanischen Häuser sind vornen ganz offen und die zierlich geordneten Auslagen, sei es in japanischen Kunstgegenständen, Delikatessen, Früchten oder anderen Artikeln, laden zur Besichtigung ein.

Im Nu hatte sich nun in einem weiten Bogen ein Kreis von Menschen um mich gebildet, der sich enger schloß, sobald ich den Neugierigen den Rücken kehrte, um das Ausgestellte zu beschauen und hier und da etwas zu kaufen, sei es ein Stückchen japanischen Biscuits, Kuchen oder eine saftige Mandarine.

Unter meiner ungebetenen Begleitung, die auf etwa 200 Personen angeschwollen war, bemerkte ich auch viele Samurai, die mit ihren zwei im Gürtel steckenden Schwertern gar kühn und gefahrdrohend dreinschauten.

Diese Samurai waren eben damals noch gar stolz auf ihr Privilegium als adelige Militärkaste.

Sobald ich nun nur eine Wendung machte, um weiter zu spazieren, stob der ganze Schwarm auseinander, als ob jedem Einzelnen der leibhaftige Gottjeibeiuns im Genick säße, dabei kunterbunt durcheinander purzelnd.

Als ich im Spaß ein kleines Mädchen erwischte und auf den Arm nahm, um ihm ein Stückchen Kuchen zu geben, schrie und strampelte es ganz entsetzlich und hatte keine Ruhe, bis ich es wieder heruntergelassen hatte, worauf es spornstreichs davon klapperte. Den Kuchen mußte ich selber essen; kein einziges Kind wollte ihn von mir annehmen.

Sogar die furchtbaren Schwertmänner wurden von der allgemeinen Panik erfaßt und suchten auf ihren hohen Holzsandalen in sichere Entfernung zu stolpern, wobei sie natürlich ebenso zu Fall kamen, wie die andern.

Komisch war es dann anzusehen, wie sie ihre entfallenen Schwerter zusammenrafften und im Laufe einzustecken suchten.

Ich bin überzeugt, daß im offenen Schwertkampf jeder derselben todesmutig seinen Mann gestellt hätte und keinen Zoll zurück gewichen wäre, ja sogar stolz lächelnd den Todesstreich empfangen hätte.

Aber diesem fremden seltsamen Wesen gegenüber lähmte die abergläubische Furcht alles Mutgefühl. Wie ein unheilschwangerer Geist konnte er Verderben bringen, wenn man ihm zu nahe kam; denn die Masse des Volkes betrachtete damals noch die Fremden als mit übernatürlichen Kräften ausgestattete höhere Wesen.

Warum sollten also nicht die abergläubischen Araberkinder von dieser Fremdenfurcht beseelt sein? Es ist ja anzunehmen, daß die fanatischen Alten ihren Kindern das

10

Gegenteil von Fremdenliebe einprägten und sie in der
Furcht vor diesen Eindringlingen befangen hielten.

Gerade dieser Furcht vor dem übernatürlichen Wesen
und dem Glauben an die Zauberkraft der Europäer ist
es jedenfalls auch zu danken, daß weiße Forscher unge=
fährdet bis ins Herz der rohen Kanibalenstämme und der
Negerreiche Innerafrikas vordringen, sich dort aufhalten
und unversehrt zurückreisen konnten.

Ermordungen kamen da vor, wo fanatische mohamme=
danische Halbneger als Despoten herrschten, oder wo in
längerem Verkehr der Nimbus des Zauberhaften geschwun=
den war.

Weit weg hat mich meine Phantasie geführt, bis ins
Herz von Japan und sogar in das Gebiet der Psychologie,
der seelischen Gefühls= und Denkweise anders gearteter
oder gar unkultivierter Völkerschaften und nun ist es die
höchste Zeit, daß ich mit meinem Kabylen wieder hernieder
steige auf den Boden der Wirklichkeit, zum Mittagessen in
Hammam Meskutin.

Noch blieb mir vorher übrig Zeit, die heißen Quellen
eingehend zu besichtigen. Auf schmalen Bändern, welche
diese zahlreichen Quellen, die kochendheiß emporquollen, von
einander trennten, spazierte ich auf dem Plateau herum
bis an den Rand des früher schon erwähnten Absturzes.

Ich dachte gar nicht daran, daß die Kruste möglicher=
weise unter mir einbrechen und ich in dem brodelnden
Hexenkessel rot gesotten werden könnte.

Ein zauberhaft schöner Anblick bietet sich, wenn man
diesen Absturz von unten betrachtet.

Auf schönem Spaziergang erreicht man eine liebliche Stelle in einer Allee von Eucalypten gerade gegenüber der Wand.

Wie flüssiges Silber ergießt sich die versteinerte Kruste über die Felspartie, die sich in größeren und kleineren Abteilungen hufeisenförmig um die Terrasse zieht. Ich habe sie schon vorher mit einem Gletschersturz verglichen; in der Nähe sieht es aus, als ob gewaltige in Kryftall= form erstarrte Seidenflotten, abwechslungsweise mit glän= zend weißen Atlasstoffen über die Wand heruntergespannt seien und wie ein duftiger, zarter Schleier rieselt das siedende und dampfende Wasser darüber hinweg.

Man kann bei einiger Phantasie das ganze Bild mit dem vergletscherten Rheinfall bei Schaffhausen vergleichen, allerdings indem man in der Höhe und Breite etwas zu= setzt. Die Kryftalllichter von Diamanten, Smaragden und Opalen, welche die Wand mit ihren Abstürzen wieder= spiegelt, lassen sich jedoch in ihrer Massenwirkung bildlich nicht vergegenwärtigen. Das muß man selbst gesehen und in seinem Schimmern und Leuchten auf sich haben einwirken lassen.

Über das Grenzgebirg nach Tunis.

Der Nachmittagszug führte mich der Grenze zwischen Algier und Tunis entgegen. Je höher wir stiegen, um so rascher wechselte die Scenerie.

Nachdem wir die breiten Talgegenden mit reicher Kultur hinter uns gelassen hatten, gelangten wir in wildere Regionen, in das Gebiet der Korkeichen.

Links und rechts erstreckten sich diese Wälder der Bahn
entlang und es gewährte einen eigentümlichen Anblick, zu
sehen, wie die Stämme bis hinauf zur Krone vollständig
von Rinde entblößt waren. Darunter gab es wieder
Bäume mit der nachgewachsenen ein- oder zweijährigen
jungen Rinde, welche sehr auffallend von der dickeren,
rauheren alten Rinde an der Krone abstach.

In der Zeit von 4 Jahren erneuert sich die Rinde
derart, daß sie wieder abgeschält werden kann. Sonderbar ist es immerhin, daß die Bäume trotz dieser zu wieder-
holten Malen vorgenommenen Operation nicht absterben.

In kleineren Waldlichtungen legten rauchende Köhler-
haufen Zeugnis davon ab, daß auch in dieser Wildnis
menschliche Wesen bei harter Arbeit ihr kümmerliches
Dasein fristen.

Immer höher stieg die Bahn und nun zeigte die Gegend vollständig alpinen Charakter. Man hätte sich auf
die Weiden der schweizerischen Alpen versetzt glauben
können, um so mehr, als sich auch auf diesen algerischen
Hochweiden Kühe von stattlichem Schlage herumtummelten
und die Herdenglocken gerade so harmonisch erklangen,
wie in den Bergen jenseits des Mittelmeeres.

Die Kontraste, welche uns in diesem eigentümlichen
Lande in verhältnismäßig raschem Fluge vor Augen ge-
führt werden, sind so überraschend, daß man sich von
Tag zu Tag in eine andere Welt versetzt glauben möchte.

Gestern noch die unendliche Wüste, Palmenoasen, eine
altrömische Trümmerstadt, dann die reichen Kulturen der
gemäßigten Zonen, Rebenpflanzungen, Getreide und Gemüse aller Arten, Olivenpflanzungen und heute die reine

Alpenwelt. An der Stelle von Kamelen, Eseln und Maultieren, Rindvieh von stattlichem Schlage, braun und schwarz
geflecktes, als ob wir uns mitten im Simmenthal oder
im Greyerzer Lande befänden.

Ein Jauchzer von Alp zu Alp, ein Jodler von der
Fluh herunter und die Illusion wäre perfekt gewesen, aber
die Kabylen und die phlegmatischen Mauren jauchzen und
jodeln nicht; das Phantasiegebilde zerfließt — wir sind
wirklich und wahrhaftig in Algier.

Es ist übrigens gar nicht ausgeschlossen, daß diese gut
gepflegten Kühe, mit geradem Rücken und breitem Kreuz
nicht aus jenen Gegenden importiert worden sind. Die
Kolonialverwaltung sucht ja das Land nach jeder Richtung
zu heben.

In Windungen zieht sich die Bahn hinan, so daß
pittoreske Niederblicke das Auge entzücken. In einer Tiefe
von 600 Meter gewahrt man die Bahnlinie, die man
vor kurzer Zeit noch befahren hat. Tunnel von 2 bis
700 Meter werden durchfahren, bis endlich der höchste
Punkt auf 778 m. Höhe erreicht ist.

Noch ein Tunnel und wir halten auf der letzten Station Algiers und zugleich der höchsten der Linie, Suk-
Ahras.

Der Ort Suk-Ahras ist ein bedeutendes landwirtschaft-
liches und kommerzielles Zentrum, von wo aus der
Handel in Getreide, Vieh, Schafe, Korkrinde und Nutzholz
in ausgedehntem Maße stattfindet. Der gute Boden und
das gesunde Klima sind dem Ackerbau und der Landwirt-
schaft außerordentlich förderlich.

Hinunter in die tunesische Ebene führt uns die Bahn, durch ausgedehntes grünes Gelände, aus welchem neben festen Wohnsitzen wieder die Zelte der Nomaden auftauchen; der Orient kommt wieder in seiner ganzen Originalität zur Geltung; nun schimmert zu unserer Rechten die Wasser= fläche des See Sebka Seldschumi und: „Tunis, tout-le-monde descend!“ heißt das erlösende Wort nach langer Bahnfahrt.

Tunis und Umgebung. Karthago.

Tunis ist diejenige Stadt Nordafrika's, welche nebst Kairo und den marokkanischen Städten, den orientalischen Charakter in seiner ganzen Ursprünglichkeit am meisten gewahrt hat.

Die Stadt ist scharf abgeteilt in eine europäische und in eine arabische.

Eine prächtige Promenade mit schönen Anlagen und von großstädtischen Gebäuden flankiert, die Avenue de France und die Avenue de la Marine als Fortsetzung, welche das europäische Hauptverkehrszentrum, das Pariser Boulevard oder die Marseiller Cannebière repräsentiert, führt zu den Hafenanlagen des See von Tunis.

Dieser See ist so seicht, daß ein Kanal ausgebaggert werden mußte, der bis nach Goulette (Goletta) und von dort durch die Landenge nach dem Golf von Tunis weiter führt und auf diese Weise größeren Seeschiffen gestattet, unmittelbar vor Tunis vor Anker zu gehen.

Die Avenue de France wird nach der Südseite durch
einen schönen weißen Torbau von maurischer Architektur
abgeschlossen.

Vor diesem Tor die breite Promenade, beidseits mit
Straßen, auf welchen sich Equipagen, elegante europäische
Reiter, überhaupt europäisches Leben herumtummelt, dazwischen herrliche Anlagen von Palmen und andern tropischen Gewächsen, mit breiten Trottoirs für den Fuß-
gängerverkehr liniert und in der Mitte der Länge nach
durch einen Promenadenweg durchschnitten.

Der europäische Charakter wird noch hervorgehoben
durch die mächtigen europäischen Gebäude, in welchen
Cafés nach Pariser Styl zur Erholung einladen; das
galerieartig überbaute Trottoir gewährt mit den vor den
Cafés rangierten Tischen schattige Rast. Prächtige Kauf-
läden mit den modernsten Artikeln wechseln ab mit andern
Luxusbauten, der Kathedrale, dem Palast des französischen
Residenten, den ein üppiger Vorgarten ziert, Banken und
Geschäftshäusern.

Hinter dem Tore der Orient in seiner von moderner
Kultur unberührten Ursprünglichkeit.

Zuerst kommt ein zwerghaft verkümmertes Plätzchen,
das den pompösen Namen „Place de la bourse" trägt.

In Fensternischen und vor den Häusern an kleinen
Tischchen sitzend, halten die jüdischen und arabischen Geld-
wechsler ihre verschiedenen Moneten in Bereitschaft und
mit fabelhafter Geschwindigkeit werden die Kurse aller
möglichen Geldsorten ausgerechnet. Ob sie richtig sind,
können wir in der Eile nicht feststellen; wir müssen uns

mit dem Eide beim Barte des Propheten oder beim Barte Abraham's zufrieden geben.

Zwei Straßen, bei uns würden sie höchstens den Namen Gassen verdienen, führen ins Innere der arabischen Stadt, sanft ansteigend bis zur Kasba.

Es liegt nun durchaus nicht im Rahmen dieser Reiseplauderei, eine Beschreibung von Tunis in historischer und ethnologischer Beziehung zu geben und werde ich mich daher darauf beschränken, nur in kurzen Zügen dasjenige zu schildern, was mir in der kurzen Zeit meines Aufenthaltes als besonders markant aufgefallen ist.

Wir beugen ziemlich steil ansteigend in ein Seitengäßchen ein, das man mit ausgespreizten Armen absperren könnte.

Durch stark vergitterte Fensteröffnungen schauen wir in ein weites kellerartiges Verlies hinunter, welches durch eine durchbrochene Mauer in zwei Abteilungen geteilt ist.

Es ist das Gefängnis von Tunis.

In dem äußern Raum, der Licht von oben herab erhält, spazieren die leichteren Untersuchungsgefangenen und Verbrecher herum.

Der uns näher gelegene düstere Teil birgt die schwererer Verbrechen angeklagten Gefangenen.

Auf feuchten Decken und Matratzen sitzen sie in dumpfem Schweigen an die Mauer angekettet und harren des Urteilsspruches: Kettenstrafe mit harter Arbeit oder der Galgen.

Im äußeren, helleren Raume eine Gesellschaft in sorgloser Unterhaltung, in anscheinender Gleichgültigkeit sich in das Schicksal ergebend, hier im Halbdunkel zusammengekauerte Gestalten, die sich in den hellen Burnus gehüllt

geipenſterhaft von der dunkeln Mauer abheben und in
düſteres Dahinbrüten verſunken zu ſein ſcheinen.

„Bst, bst, mossiou, Chawage" (Herr), klingt es plötz=
lich von jugendlichen Stimmen in unſer Ohr.

Ich wende mich um und gewahre, wie aus den Gittern
einer Fenſterhöhle ſich ſchmutzige Hände mir entgegenſtrecken
und Knabengeſichter freundlich grinſend mir zunicken.

Es iſt das Knabengefängnis, in welches jugendliche
Verbrecher und Vaganten untergebracht werden; aber
auch Knaben, welche zu Hauſe nicht parieren wollen,
können auf Wunſch der Eltern auf kürzere oder längere
Zeit in dieſem Loche interniert werden.

Die ganze Bande ſcheint ſich übrigens nicht übel dabei
zu befinden, denn fröhlich tummeln ſie ſich in ihrem Ver=
lies herum und: „mossiou oune cigarette, oune sou!"
tönt es mir entgegen. Wenn ſie nur zu rauchen und
einige sous haben, um ſich Süßigkeiten oder Tabak zu
verſchaffen, ſind ſie mit ihrem Schickſal ausgeſöhnt. Lange
wird die Haft ja ohnehin nicht dauern und es läßt ſich
ſo gut hier in Geſellſchaft von Gleichgeſinnten faulenzen.

Ich mache ſie mit einigen Cigaretten und etlichen Sou=
ſtücken glücklich und ſehe noch, wie ſie ſich um die sous
balgen und übereinander kugeln; dann aber weg von
dieſer unheimlichen Stätte.

In den alten Straßen von Tunis ſind viele Gebäude
aus den Bauſteinen Karthagos aufgeführt und es mutet
den Reiſenden eigentümlich an, wenn er dieſe mit Bild=
hauerarbeit verzierten regelmäßig behauenen Quadern,
dieſe in die Faſſaden eingemauerten Säulen mit den kahlen,
weißgetünchten, modernen arabiſchen Fronten vergleicht.

Immerhin zeigen auch die Häuser der vornehmen und reichen Tunesier Erker und Fensternischen, die in zierlichem maurischen Arabeskenstyl ausgeführt sind.

Sehr originell sind die Suks, d. h. die Bazargassen, die sich gegen die Kasba hinanziehen und welche mit Galleriengängen verglichen werden können; denn sie sind durchgehends gedeckt, oft in der ganzen Länge steingewölbt, oft aber auch nur mit Brettern, so daß das Tageslicht nur kärglichen Zutritt hat, entweder durch Lichtöffnungen im Gewölbe oder dadurch, daß die Bretter von einander klaffen. Im heißen Sommer ist es daher sehr angenehm in diesen Bazargassen zu „shopen"; denn die fast zu einem Halbdunkel gemäßigte Tageshelle erzeugt keine große Hitze und man befindet sich in einer verhältnismäßigen Kühle.

In jedem dieser Suks ist nur ein Geschäftszweig vertreten; in einer Gasse sind lauter Klempner und Spengler, in einer andern nur Schneider und Sticker, dann wieder lauter Sehescha- (Mützen) Fabrikanten, wieder in einer lauter Schlosser und Schmiede oder Goldschmiede und Juweliere, ferner Pantoffelschuster re.

Penetrante Wohlgerüche, ein undefinierbares Gemisch, das von Essenzen aller Art ausströmt deutet darauf hin, daß wir in den Suk der Parfümeriefabrikanten eintreten.

Alle diese Boutiken sind von so minimen Dimensionen, daß, wenn sich ein einigermaßen voluminöser Mann darin aufpflanzt, kaum mehr ein Mensch hinein oder hinaus kann.

Und da krabbelt es in diesen Löchern von Arbeitern, da hämmert und feilt ein halbes Dutzend Schlossergesellen drauf los, obschon ihnen kaum Platz zu freier Bewegung bleibt; in jenem schneidern ebenso viele Schneider, alles

Israeliten, schöne arabische Gewänder zusammen, man meint sie müßten sich gegenseitig in die Augen stechen, Blechner fabrizieren sehr zierliche Laternen und an den Wänden und um die Eingangsöffnung herum hängen die fertigen Artikel zur Schau, so daß diese Suks ein buntes, farbenreiches Bild voller Leben zeigen.

Breiter in der Anlage und reicher in der Ausstattung ist der Suk der Seidenwaren= und Teppichhändler. Da gibt es sehr schöne und große Magazine, vor welchen in behaglicher Ruhe die reichen Kaufherren sitzen und die Passanten zum Besuche einladen.

Diese Leute sind schon etwas modernisiert; denn während= dem die Verkäufer in den andern Suks, mit Ausnahme der Israelitischen Schneider, die ihre Gewänder anpreisen, sich vollständig passiv verhalten und nur den Mund auftun, wenn sie angesprochen und um den Preis gefragt werden, laden diese Ersteren zum Besuche ihrer Magazine ein; eigentlich vorläufig nur zu einer Tasse Mokka.

Wir wollen einen solchen Besuch verfolgen.

Vor dem Bazar sitzen Vater und Sohn. Letzterer ein großer, schöner, junger Mann von einnehmendem Wesen, der seine Stoffe und Teppiche schon an der Pariser Aus= stellung zur Schau ausgestellt hatte.

„Dürfen wir die Herren vielleicht bitten, unserm Magazine einen Besuch abzustatten," werden mein Freund und ich angesprochen.

„Danke schön, wir kaufen gar nichts."

„Ist durchaus nicht nötig. Geben Sie uns nur die Ehre, Ihnen Gastfreundschaft erweisen und eine Tasse Mokka anbieten zu können."

„Wir müssen nochmals danken; denn da wir doch nichts kaufen, würden wir nicht so unbescheiden sein, von Ihnen Mokka anzunehmen und dann den Laden ohne weiteres zu verlassen."

„Als unsere Gastfreunde gehen Sie durchaus keine moralische Verbindlichkeit ein. Wenn Sie unsere Sachen ansehen und schön finden und uns dann Ihren Freunden und Bekannten empfehlen wollen, so sind unsere Wünsche durchaus erfüllt."

Nun lassen wir uns bewegen einzutreten, um so eher als unser Führer uns versichert, daß es durchaus nicht übel vermerkt wird, wenn wir nichts kaufen.

Das an die Straße stoßende Magazin ist angefüllt mit alten arabischen Waffen und Kuriositäten.

Im Innern, welches von Teppichen und Stickereien vollgepfropft ist, werden wir zu einem Sofa geleitet und nun erscheint der unvermeidliche Mokka, welcher wirklich ausgezeichnet schmeckt.

„Wir beziehen ihn immer direkte von Geschäftsfreunden in Hodaïda. Noch ein Täßchen gefällig?" Dann noch eins und so fort.

Meinem Freunde haben einige hübsche Stickereien in die Augen gestochen. Flugs wird ein Bündel vor ihm ausgebreitet, Stück für Stück für zwei Franken. Er bietet Fr. 10. — für ein Dutzend und nach einigem Feilschen werden sie ihm zugeschlagen. Zu diesem Preise sind sie auch wirklich spottbillig; denn es sind schließlich doch seidene Deckelchen mit zum Teil recht zierlichen Stickereien.

„Wir können sie nur deßhalb billig verkaufen, weil sie von Frauen in den Harems angefertigt werden, womit sie sich ein kleines Taschengeld machen. Uns selbst aber kosten sie dennoch mehr als Fr. 10. — per Dutzend; wir wollten uns jedoch unsern Gastfreunden gegenüber gefällig erweisen."

Das war also die Wurst, welche nach der Speckseite geworfen wurde.

Mittlerweile hatten dienstbare Geister alle möglichen Teppiche vor uns ausgebreitet. Da wir denselben jedoch keine Aufmerksamkeit schenkten, wurden wir eingeladen, in das große Magazin im Hinterhaus zu folgen, wo wir Gelegenheit hätten, Teppiche aus den Palästen des Bey zu sehen.

Nun durften wir nicht wohl anders; übrigens kostete die Besichtigung ja nichts.

Der Bey wechselt alle paar Jahre seine Teppiche und schafft dagegen neue an, wie uns der junge Kaufherr sagte. Deßhalb können sie Teppiche aus dem Palast, die kaum benützt sind, billig kaufen und ebenso wieder verkaufen.

„Zum Beispiel dieser prächtige, große Milieu de Salon kostet blos achthundert Franken, wenn Sie ihn haben möchten."

„Für dreihundert könnte er mir dienen", meinte ich, ohne ernstliche Absicht zu kaufen.

Der Tunesier zuckte lächelnd die Achseln. „Fr. 300. — für einen Teppich von $2^3/_4$ auf $3^1/_2$ Meter und noch dazu aus dem Palaste des Bey! Wo denken Sie hin?"

„Aber für 700 können Sie ihn haben." „Nein." „Dann

600. —. Auch nicht? Was können Sie denn bieten?"
„Dreihundert." Nochmaliges Achselzucken und eine neue
Ration Mokka. „Wissen Sie was; nehmen Sie ihn für
500. —!" „Ich brauche ihn überhaupt nicht." „Na,
dann gibt's kein Geschäft. Tut aber gar nichts; wenn
Sie uns nur weiter empfehlen wollen."

Wir nahmen dankend Abschied und wandten uns dem
Eingang zu.

„Abgemacht! Sie sollen den Teppich für 300 haben!
Wir setzen Geld zu; aber man soll nicht sagen können,
daß Sie bei uns kein Geschäft gemacht haben."

Das war also die Speckseite. —

Bei einer nochmaligen Ladung Mokka gab ich meine
genaue Adresse an; denn der Mann wollte die Sendung
direkte an mich besorgen. Den Betrag wolle er dann im
Gasthof gegen quittierte Rechnung einziehen.

Ich konnte mich nun nicht enthalten, dem Tunesier
vorzuhalten, wie unreell eigentlich ein solches Geschäfts-
gebahren sei, für einen Teppich, den er schließlich zu
Fr. 300. — verkaufe, anfänglich Fr. 800. — zu fordern
und daran die Bemerkung zu knüpfen, daß bei uns zu
Lande Kaufhäuser von seiner Reputation den Herlegungs-
preis genau ausrechnen, dazu einen prozentualen Gewinn
schlagen und das sei dann der feste Preis, an welchem
nicht mehr zu markten und zu feilschen sei. So gestalte
sich der Geschäftsverkehr für beide Teile zu einem an-
genehmern.

„Glauben Sie mir, daß ich der Erste wäre, ein solches
Prinzip zu dem meinigen zu machen und mir den
Geschäftsverkehr auf diese Weise zu erleichtern, wenn es

bei uns möglich wäre," erwiederte der Tunesier. „Aber
wenn ich auch, genau berechnet, den niedrigsten festen
Preis ansetzen würde, so würden mir die Fremden doch
nur den vierten Teil bieten und gar noch unsere Eingeborenen, die unsere guten Kunden sind; nicht ein Stück
würden sie mir mehr abkaufen, wenn sie nicht die Hälfte
herunter markten könnten. Lieber bezahlten sie bei dem
Konkurrenten mit Markten und Feilschen das Doppelte
dessen, das sie bei mir bei festen Preisen kaufen könnten.
Das sind eben bei uns Handelssitten, gegen die nicht
anzukämpfen ist."

Als ich im Gasthof den Betrag zur Auszahlung gegen
die quittierte Rechnung deponierte, äußerte ich meine
Bedenken darüber, daß ich nun das Geld hergebe und
nach Europa verreise, währenddem der Verkäufer die
Ware noch in Händen habe und sie möglicherweise gar
nicht absende oder durch einen minderwertigen Teppich
ersetze, was in Anbetracht seiner anfänglichen Überforderung ihm wohl zuzutrauen wäre. Er wisse ja sehr
wohl, daß es mir schwer fallen würde, ihn dafür von
Europa aus zu belangen

Ich wurde jedoch nach dieser Richtung durchaus
beruhigt. Sobald der Handel abgeschlossen sei, und wenn
auch mit Verlust für den Verkäufer, was allerdings nicht
anzunehmen sei, so werde er sein Wort unbedingt halten.
Darauf könne ich mit vollster Sicherheit zählen; denn
sein kaufmännischer Ruf stehe dabei auf dem Spiele und
auf den lasse er keinen Flecken kommen.

So war es denn auch und ich bin überzeugt, daß
das Geschäft für beide Teile kein schlechtes war.

Eine Merkwürdigkeit eigener Art ist der öffentliche Handel mit Juwelen und kostbaren Steinen. Man sollte es kaum für möglich halten, daß auf offener Straße eine eigentliche Vormittagsbörse besteht, wo Pretiosen feil geboten werden. Die Verkäufer spazieren auf und ab, alle Finger voll Ringe mit Smaragden, Rubinen, Saphyren Diamanten ꝛc.; in den Taschen ungefaßte Steine und Juwelen, welche sie zum Verkaufe ausrufen.

Wird auf irgend einen Ring oder Stein nach genauer Besichtigung ein Angebot gemacht und Verkäufer und Käufer werden handelseinig, so ist damit der genaue Preis noch nicht festgesetzt; denn jetzt erst begibt man sich auf das Bureau des offiziellen Schätzers, der ein auf diese Stelle eingeschworener Beamter ist und durch und durch Fachkenner von großer Erfahrung sein muß.

Dieser Beamte setzt dann den genauen Preis fest und was darüber hinaus gehandelt wurde, wird abgestrichen. Es steht dann dem Verkäufer immer noch frei, denselben anzunehmen oder nicht; in der Regel aber stimmt er zu, denn er schließt nie ab, ohne daß der vereinbarte Preis nicht noch einen Abstrich erleiden möchte und anderteils schätzt auch der öffentliche Schätzer den Preis so ein, daß der Verkäufer dabei bestehen kann.

Durch diese originelle Einrichtung wird der Käufer vor allzugroßer Überforderung bewahrt und namentlich auch gegen Fälschung geschützt und dadurch wird diese öffentliche Juwelenbörse überhaupt lebensfähig erhalten; denn ohne eine solche Garantie würde es schwerlich Jemand einfallen, auf offener Straße kostbare Ringe und Edelsteine zu kaufen.

„Nun müssen Sie auch noch die Gerichtsbarkeit der Kadi kennen lernen," meinte unser Führer.

Durch ein breites maurisches Tor werden wir in einen mit schönen großen Fliesen belegten Hof geführt, welcher das Innere eines quadratischen arabischen Baues bildet.

Auf drei Seiten sind Nischen angebracht, welche mit einem Divan und reichen Teppichen ausgestattet sind. In jeder tront ein Kadi und hält Gericht.

Durch die von einem schweren Teppich halb verhängte Öffnung einer dieser Nischen gewahren wir den Kadi, einen ehrwürdigen, weißbärtigen Araber, der mit kreuzweis untergeschlagenen Beinen auf dem Divan gelagert, andächtiglich dem Vortrag eines reichgekleideten Mohammedaners zuhört, welcher am andern Ende des Divan sitzt und eifrig auf ihn einspricht.

„Es wird sich um eine Ehescheidung handeln," behauptete unser Führer.

„Können mohammedanische Ehen leicht geschieden werden?"

„O ja, sehr leicht; eine Ehe muß sogar geschieden werden, sobald ein Mann seiner Frau in der Erregung ein gewisses Schimpfwort zuruft. Die Frau kehrt dann in ihre Familie zurück."

Eigentümlich verhält es sich dann allerdings, wenn die Scheidung den Mann reut und er die Frau wieder haben möchte. Direkte kann er sie aber nicht wieder heiraten; es muß vorher eine Zwischenehe geschlossen werden.

Zu diesem Zwecke holt man sich irgend einen alten Bettler von der Straße, der dafür entlöhnt wird. Diesem

11

Stellvertreter wird die Frau für einen Tag und eine Nacht angetraut; aber obschon er diese Zeit über im Hause der Frau zubringen muß, kriegt er ihr Antlitz doch nicht zu sehen und am folgenden Tage wird diese Ehe wieder geschieden und der frühere Ehemann verheiratet sich aufs Neue mit der zweimal geschiedenen Gattin.

Die europäischen Gesetzgeber machen es den Ehemännern vorläufig noch nicht so bequem.

Die Civilstandsbeamten würden sich auch für eine derart vermehrte Geschäftsüberhäufung bedanken.

In einer besonderen Abteilung des Hofraumes gewahrten wir mehrere vermummte Araberinnen, welche mit furchtbarem Eifer und energischen Gesten auf einige aufmerksam zuhörende Männer einsprachen.

Das waren weibliche Advokaten, die hier als Frauenrechtlerinnen auftraten und als Anwälte die ihnen anvertrauten Angelegenheiten von klagenden oder beklagten Frauen verteidigten und, wie es mir schien, mit überzeugender Zungenfertigkeit.

In Europa ist man vielerorts noch im Streit darüber, ob man Damen als Hörerinnen an den Universitäten zulassen und sie akademische Grade erlangen lassen soll. In Tunis ist diese Frage, wie man sieht, in praxi bereits entschieden.

Auf einer langen Bank saß eine Reihe alter krüppelhafter Gestalten mit Stäben in den Händen. Die Einen halbblind, die Andern halbtaub, Alle aber mumienhaft eingetrocknet, machen sie in ihrer Mümmelhaftigkeit einen erbärmlichen Eindruck; aber — alle Achtung und Respekt vor der öffentlichen Autorität — wir haben vor uns die

hohe Polizei des Gerichtshofes der Kadi, welche die Par=
teien aufbietet und vorführt, die Urteile exekutiert und in
diesen heiligen Hallen die öffentliche Ordnung aufrecht
erhält.

Das Merkwürdigste dabei ist, daß es Niemand wagt,
weder der vornehmste Araber noch der rauflustigste Sonnen=
bruder, sich ihren Befehlen zu widersetzen und ihrer Auf=
forderung keine Folge zu leisten.

So tief ist die Achtung vor der religiösen Autorität
bei den Mohammedanern eingewurzelt!

Wenn ich mich dagegen an meine Jugendjahre zurück=
erinnere. — Wir hatten als Ortspolizei einige ruinen=
hafte Schemen, welche den ganzen Tag vor dem Wacht=
häuschen auf dem Bänkchen saßen und vor Alter nicht
einmal mehr die Kraft hatten, zu gähnen.

Wie viele Possen haben wir doch diesen uniformierten
Jammergestalten gespielt; es gab keinen Schabernack, der
nicht ausgesonnen wurde, um sie aus ihrer träumerischen
Ruhe aufzuschrecken, ohne die mindeste Ehrfurcht vor ihrer
Beamtenautorität. —

Ja, diese Mohammedaner sind doch brävere Menschen! —

Unwillkürlich ergriffen von dieser Ehrfurcht vor dem
Gesetze, verlassen wir gebeugten Hauptes den Gerichtshof
der Kadi und während wir noch in tiefsinnige Betrach=
tungen über die Herrschaft der islamitischen Religionslehre
über Geist und Gemüt versunken, einen engen, sehr
belebten Suk hinunter ziehen, stolpern wir mitten im
Gäßchen über einen Grabhügel; einen wahrhaftigen, greif=
baren aus den bekannten arabischen Fayenceplättchen auf=

gebauten Grabhügel, der auf jeder Seite kaum einen Fuß breit Raum für die Passanten läßt.

Es ist das Grab eines Marabu.

Zufälliger Weise brach der heilige Mann an jener Stelle zusammen und starb. Deßhalb mußte er gerade da, wo er lag, begraben werden. Obschon nun diese Grabstätte nicht nur ein Hindernis für den Verkehr ist, sondern auch den Zugang zu den Kaufläden zu beiden Seiten erschwert, sind die Eigentümer dieser Letzteren doch hoch erbaut davon, denn ein Abglanz von der Heiligkeit des Marabu strahlt von dem Grabe aus auch auf sie hinüber und verleiht ihrem Geschäfte himmlischen Segen und materiellen Erfolg.

Wir befinden uns in dem Suk der Sattler und wir können zusehen, wie Safian- und Maroquinleder in allen Farben zu Zaum- und Sattelzeug, Schlappen und Reit- stiefeln, Reise-Jagdtaschen und Porte-monnaies verarbeitet werden und können aus dem reichhaltigen Vorrat, der wie eine Guirlande in rot, gelb und schwarz das zugleich als Werkstatt dienende offene Ladenlokal umrahmt und die Innenwände ziert, unsere Auswahl treffen.

An gewissen Tagen und bei besonders feierlichen Anlässen lassen diese Lederkünstler es sich nicht nehmen, um das Grab des Marabu Fahnen aufzustellen und darauf brennende Kerzen aufzupflanzen, womit sie nicht nur gewissermaßen eine Prämienzahlung auf die Versicherungs- police für ihr Seelenheil leisten, sondern auch die Mahnen des Marabu zu erneuter Fürbitte um die Gunst des Himmels für das pekuniäre Heil ihrer irdischen Erwerbs- tätigkeit aufstacheln.

Mit diesen Marabu hat es überhaupt eine sonderbare
Bewandtnis. Nicht nur Abkömmlinge des Propheten mit
gesunden Sinnen werden als solche heilig gehalten, sondern
überhaupt auch, was verrückt ist.

Und das ist gut; denn infolge dieser Verehrung wird
doch für diese ärmsten der Menschen gesorgt, währenddem
sie sonst bei der Gefühlsroheit der hamitischen Rasse elend
verkümmern und verhungern müßten.

Auf der Terrasse eines schönen arabischen Hauses an
einer breiten, belebten Straße bemerkte ich eine unverschleierte
Araberin mit abnormer Gesichtsbildung. Eine fast flach
zurückweichende Stirne, darunter in gleicher Linie mit der
Stirne eine auffallend große gebogene Nase und das Kinn
wieder zurückweichend, hatte sie ein raubvogelartiges Aussehen.

Die Tunesier behaupten, daß sie von einem Affenvater
abstamme und betrachten sie mit abergläubischer Furcht.

Als Idiotin wird sie als Heilige verehrt, obschon zwar
eine unverschleierte Mohammedanerin den Rechtgläubigen
ein Greuel ist, und deßhalb wagt es Niemand, sie von
der Schwelle zu jagen, oder sie nicht mit Nahrung und
Kleidung zu versehen; überhaupt ist es religiöse Pflicht,
für das leibliche Wohl dieser heiligen Närrin zu sorgen.

Ein krasses Beispiel jedoch, wie weit man in der Über-
treibung mit dieser Heiligenverehrung gehen kann, zeigte
sich uns noch am selben Tage.

Auf einem Bänkchen in einer auf die Straße offenen
kleinen Butike saß ein Scheusal von einem Menschen oder
vielmehr einem entfernt menschenähnlichen Wesen.

Schmutzig vom kahlen Schädel bis zur Fußsohle troff
aus seinen breiten Nasenlöchern beständig der von über-

mäßigem Schnupftabakgenuß herrührende braune Saft auf
den ungepflegten Bart, den er verfilzte, so daß das
ursprüngliche weiße ein braungelbes borstiges Gewirr
bildete. Von da rieselte er auf das ehemals weiße Über-
hemd, das bis auf die Füße hinunter den Anblick einer
eckelhaften Kruste, eines Gemengsels von Tabakssaft mit
Speiseresten und sauce à la bordelaise bot.

Auf eine weitere Beschreibung der Unreinlichkeit dieses
Ungetüms will ich nicht eintreten; der Leser wird an der
kurzen Beschreibung schon genug haben.

Nur das möchte ich noch erwähnen, daß ihm das
Gewand nicht jeden Tag gewechselt wird; so weit versteigt
sich denn doch der Heiligenkultus nicht.

Nach einigen Wochen wird ein frisches Hemd über
das schmutzige geworfen und so immer fort bis das
Dutzend voll ist und der Unglückliche dem Ersticken nahe
unter der Last beinahe zusammenbricht.

Dann wird die ganze Kruste über sein heiliges Haupt
gehoben und wieder mit einem sauberen Hemd der Anfang
gemacht.

Zwei Diener und eine alte Dienerin, von welchen die
Ersteren seine ständigen Begleiter bilden, sorgen für sein
leibliches Wohl!

Und das ist ein Heiliger! ein Marabu!

Aus ihm spricht Prophetengeist; was er sagt ist gött-
liche Inspiration; seinen Worten muß gehorcht, seine
Befehle müssen erfüllt werden!

Glücklicherweise für seine Glaubensgenossen ist ihm
das nötige Verständnis abhanden gekommen, sonst wäre

er vielleicht der reichste Mann in Tunis und seine Ver=
ehrer Bettler.

So beschränken sich seine Wünsche und Befehle auf
das nächstliegende Erfüllbare, auf den täglichen Unterhalt
und seine Prophezeiungen sind jedenfalls noch viel ver=
worrener und unklarer als diejenigen des Orakels zu
Delphi, treffen aber auch deßhalb je nach der Auslegung
meistens in irgend einer Weise zu.

Und nun kommt, was ich eigentlich als krasses Bei=
spiel fanatischer Heiligenverehrung anführen wollte.

Diesem Darwinischen Urmenschen näherte sich ein vor=
nehmer Tunesier in reicher seidener Gewandung, verbeugte
sich tief vor ihm und — küßte seine schmierigglänzende
Hand. —

Ob er sich wohl damit ein Extraplätzchen im Paradies
sichern oder aus den wirren Redensarten des Alten nur
ein günstiges Orakel für eine geschäftliche Spekulation
erlauschen wollte? Vielleicht Beides.

Also auch vornehme und dem Äußern nach zu urteilen
jedenfalls den gebildetsten Kreisen angehörende Leute
zappeln wie Fische an dem Angelhacken transcendentalen
religiösen Irrwahnes. Ist es nicht anderswo auch so? —

Als wir an dem Alten vorüber gingen, glotzte er uns
zuerst an; dann schrie er uns zu: „Warum kommt Ihr
in unser Land mit Euern Trommlern und Trompetern?
(Anspielung auf die französische Garnison). Bleibt in
Euerm Lande, wenn Ihr dort zu essen habt; wir brauchen
Euch nicht!"

Der Mann scheint doch auch noch lichte Momente zu
haben.

Gerne wäre ich nun von diesem unerquicklichen Thema
auf ein für den Leser angenehmeres übergesprungen und
hätte ihm beispielsweise als Gegensatz ein Bild der Frauen-
lieblichkeit vor Augen geführt.

Leider aber sind die Tunesierinnen noch viel zuge-
knöpfter als ihre Glaubensgenossinnen in Algier.

Nicht nur sind sie von Kopf bis zu Fuß eingemummelt
wie Wickelkinder, tragen über Alles noch einen ballon-
artigen Überwurf und verhüllen das Angesicht mit einem
Schleier, sondern überdies bildet noch ein über den Kopf
geworfener großer Shawl vor dem Gesichte ein straff nach
vorn gestrecktes zeltartiges Vordach, welcher das ganze
Antlitz vollständig überschattet und anscheinend der wan-
delnden Mummelgestalt nur gestattet, eine kleine Strecke
weit vor die Füße zu sehen.

Bleiben noch die Jüdinnen, die unverhüllten Hauptes
einherspazieren. Von dem Gürtel aus reicht ein faltiges
Beinkleid nach Art der türkischen Pluderhosen auf die
Knöchel hinunter. Einen eigentlichen Rock gibt es nicht,
dagegen hüllt ein von dem Gipfel einer hohen mittelalter-
lichen Spitzhaube ausgehender Schleier die ganze Gestalt
ein, den sie je nach Bequemlichkeit auf der Brust zusammen-
faßt oder auch flattern läßt.

Wenn menschlicher Erfindungsgeist irgend etwas Un-
praktisches ersonnen hat, so sind es die Schlappschuhe
dieser Jüdinnen, die nur bis zur Hälfte der Fußsohle
reichen, so daß die Ferse gar nicht auftritt, sondern frei
schwebt.

Der dadurch bewirkte Watschelgang wird noch gesteigert
durch die künstlich erzeugte Fettleibigkeit.

Während unfere europäifchen Damen die Vollkommen=
heit der Schönheit in einer Wefpentaille finden und fich
einzwängen und fchnüren, um fo fadendünn wie möglich
zu werden, gilt nach orientalifcher Anfchauung gerade das
Umgekehrte als Inbegriff aller Leibesfchönheit.

Deßhalb effen diefe Jüdinnen fortwährend eine befondere
Art Bohnen, welche die Fettleibigkeit bis zur Körperfülle der,
man verzeihe mir den Ausdruck, Maftfchweinezucht fördern.

Ihre Gefichtszüge find daher auch nicht fo frifch und
fein wie diejenigen der algerifchen Jüdinnen in Constantine, fondern viel gröberen Kalibers.

Ich will nun nicht beftreiten, daß die jüngere Gene=
ration, foweit aus Photographieen erfichtlich ift, recht
hübfche Gefichtchen zur Schau trägt; aber die elterliche
Fürforge läßt die Töchter nicht auf die Straße, fo lange
fie das ungefährliche kanonifche Alter nicht erreicht haben.

Ich kann alfo nicht aus eigener Erfahrung reden und
da ich nur Selbftgefchautes fchildern will, muß ich meine
verehrten Leferinnen und Lefer über diefes intereffante
Thema unaufgeklärt laffen. —

Immer fchön ift die Natur, man mag fie betrachten
wo man nur will.

Wir haben ja gefehen, daß fogar die weite Sandwüfte
in ihrer Eigenart durch ihre fcheinbare Unendlichkeit nicht
blos fchön, fondern geradezu großartig wirkt.

Und wenn man auf dem flachen Dache des Dar-el-Bey,
des Palaftes des Bey in der Nähe der hochgelegenen
Kasba, fteht und den Blick fchweifen läßt über das weiße
Häufermeer der Stadt Tunis, die zierlichen fchlanken

Minarete, die maſſiveren mauriſchen Türme, in den Bau-
ſtyl übertragene Arabesken, die kuppelbedeckten Moſcheen,
bis zum bläulich ſchimmernden See mit Goletta als Abſchluß;
daran anſchließend der grüne Hügelkranz von Karthago
bis zu dem waldigen Höhenzug im Nordweſten, der bei Sidi
Bu Said mit deſſen ſchneeweiß aus dem Waldesgrün heraus-
leuchtenden Häuſern jäh ins Meer abſtürzt; dann im Oſten
wieder die zackigen, zerklüfteten Wüſtengebirge, welche
Tunis das notwendige Süßwaſſer liefern; wenn man
dieſen Anblick im Februar vom goldigen Sonnenlicht um-
flutet genießen darf, ſo muß einer ſchon das Gemüt eines
Sägebocks haben, wenn er dabei ſtockſteif bleibt und alle
dieſe Schönheit ohne Gefühlsregung über ſich ergehen läßt.

Auf faſt allen dieſen flachen Dächern lagern biſſige
Köter, die Hüter des Hauſes, die Niemand hinauf laſſen
und, wie wir Gelegenheit hatten in nächſter Nähe zu beobachten, ſogar Angehörige des Hauſes wütend ankläffen
und wie raſend auf ſie eindringen, ſo daß der von uns
beobachtete junge Mann Mühe hatte, ſich mit einem Stocke
der Angriffe zu erwehren.

Dieſe Wächter ſind aber auch notwendig, denn die
flache Dächerkonſtruktion macht es Einbrechern gar leicht,
von Dach zu Dach zu ſpazieren und in aller Bequemlichkeit dem vorher ausgeſpähten Angriffsobjekt einen Beſuch
abzuſtatten. Die Häuſer ſind ja auch nicht hoch und daher
von außen leicht zu erſteigen; aber dieſe arabiſchen Köter
halten gute Wacht.

Aus den Türmen, Minarets und Moſcheenkuppeln
ragte ein beſonders ſchöner und impoſanter Kuppelbau
heraus. Die Mitte krönte auf rundem Turm die große

Hauptkuppel, umlagert von acht kleineren, vergleichbar einer Henne, die schützend inmitten ihrer Küchlein tront.

Das ist die Moschee Dschama Sidi Mahrez, in welcher nicht nur flüchtige Schuldner, sondern auch schwere Verbrecher eine Freistatt finden, wohin die Polizei ihnen nicht folgen darf, so daß der Vergleich mit der schützenden Henne auch in dieser Hinsicht zutrifft.

So lange diese Elenden sich dort aus eigenen Mitteln ernähren können oder von Verwandten und Freunden unterhalten werden, sind sie vor jeder Verfolgung sicher.

In der Regel aber dauert dieser Zustand nicht lange, weil dem Einen oder dem Andern gewöhnlich das nötige Kleingeld ausgeht oder überhaupt die Alimentationskosten zu unbequem werden.

Dann muß der arme Teufel heraus und fällt meistens den die Moschee scharfäugig bewachenden Häschern in die Hände, so daß die Zuflucht in diese heilige Stätte eigentlich nur zu einer Galgenfrist im buchstäblichen Sinne des Wortes führt.

Der Bey residiert nicht mehr in seinem Palast Dar-el-Bey, sondern in seiner mitten im üppigsten Grün gelegenen Residenz in El Bardo, nahe bei Tunis.

Der Dar-el-Bey mit seinen reich dekorierten Sälen, in welchen namentlich die Ausschmückung mit wertvollen Teppichen und maurischer Fayence in die Augen fällt, dient gegenwärtig zur Aufnahme hervorragender Gäste.

In einem Hofe mit Kolonnaden wurde früher Gericht gehalten und die Rechtsprechung des Bey war dort eine sehr expeditive.

Die Kasba, welche von dem Dar-el-Bey nur durch einen Platz getrennt ist, und den höchsten Punkt von Tunis krönt, war früher die Citadelle der Spanier, später der Türken und umschloß den Palast der afrikanischen Sultane und nach denselben der Beys von Tunis, ist aber schon längst weggrasiert.

Heutzutage dient sie als Kaserne für die aus Zuaven und Linieninfanterie bestehende französische Garnison.

Ein Spaziergang durch die Stadt bietet des Interessanten sehr viel. Schon das Leben und Treiben in den engen Gassen, das Durcheinanderwimmeln bunter Trachten, von der Seide bis zum zersetzten baumwollenen Lappen, die Esel und Maultiere, welche sich durch die schmälsten Gäßlein winden und drücken, die freien Plätze, auf welchen die Schlangenbändiger und Skorpionenfresser fortwährend ein gaffendes arbeitsloses Publikum um sich versammeln, die ebenfalls stets belagerte lange Reihe der Spezerei- und Lebensmittelladen, wo ganze Rosenkränze grün angelaufener Würste das Entsetzen unserer Fleischschau und Lebensmittelkontrolle erregen würden und überhaupt alle möglichen für unsere Begriffe absolut undefinierbaren Genußartikel zum Verkauf aufgehängt und ausgelagert sind und last not least der originelle Bettlermarkt.

Da kauern sie in ihren Lumpen, alte krüppelhafte Männlein und Weiblein, braune und schwarze und halten auf Strohmatten feil, was sie den Tag über erbettelt haben. Vor dem Einen liegt ein kleines Häufchen Reis, vor dem Andern etwas Gerste oder Mais, dieser hat Fleischresten und halbabgenagte Knochen, jener eine Sammlung von Brodresten zu verkaufen; mancher stellt auf seiner zer-

rissenen und vom vielen Gebrauch der ursprünglichen Farbe
ermangelnden Matte eine ganze Variété aller denkbaren
Tafelüberreste, sowie Mais, Reis, Gerste 2c. in minimsten
Quantitäten, alles fein säuberlich separiert aus und preist
seine Ware an.

Aus einer Hand voll Reis oder Gerste macht dieser
spekulativ veranlagte Geschäftsmann noch eine erkleckliche
Anzahl Detailposten und ein Knochen, von dem er das
meiste Fleisch wohl selbst schon abgenagt hat, bildet immer
noch den clou seiner Ausstellung, die große Attraktion
für herumstehende Hungerleider, welche sogar zu faul zum
Betteln sind.

Ich hatte keine Zeit, mich nach den Tageseinnahmen
dieser Geschäfte, noch den Warenpreisnotierungen zu er-
kundigen; aber so gering der Verdienst auch sein mag,
Fallimente sollen doch noch keine vorgekommen sein und
gepfändet wird auch nicht.

Und nun hinaus aus der Stadt in die liebliche Umgebung.

Die Straßenbahn führt uns nach El Bardo. Wir
fahren unter einem Bogen eines gut erhaltenen hochgebauten
römischen Aquäduktes hindurch, das wir bis in weite
Ferne, wo es das Wasser zur Versorgung Karthagos in
dem östlich sich erstreckenden Gebirgszug holte, verfolgen
können.

Es ist dies nicht das einzige dieser großartigen Bauwerke zum Zwecke der Wasserversorgung, welches Karthago
das köstliche Naß von fernen Gebirgszügen her zuführte;
denn in der Umgebung von Tunis gibt es noch einige
viele Meilen weit sich erstreckende Überreste solcher Aquädukte.

In Bardo hielten wir uns nicht lange auf, da der Palast zur Besichtigung nicht geöffnet war. Als Bauwerk ist er nicht besonders interessant, man könnte ihn mit einer jener italienischen Villen großen Stiles vergleichen.

Dort also spricht der Bey über Leben und Tod eines von den Gerichten Verurteilten ab. In früheren Zeiten urteilte er selbst als einzige Instanz. Seit der französischen Schutzherrschaft ist eine ordentliche Rechtspflege gemäß dem Code Napoléon eingeführt worden und der Bey hat nur das letzte Wort und zwar in hochnotpeinlichen Fragen in folgender Form:

Wird ein zum Tode verurteilter Mörder vorgeführt, so werden die Anverwandten des Opfers mit Ersterem vorgeladen.

Nun bietet der Bey diesen Letzteren ein Sühnegeld bis zu einer gewissen Höhe an, das er aus seiner Privatkasse bezahlt.

Wird dasselbe angenommen, so wird der Verbrecher zu Gefängnisstrafe begnadigt.

Wenn aber die Verwandten das Sühnegeld zurück= weisen und auch auf eine Erhöhung absolut nicht eingehen wollen, sondern Aug' um Aug', Zahn um Zahn fordern, so spricht der Bey zum Verurteilten die einfachen Worte: „Wende dich weg!" und dann wird derselbe ohne weitere Umstände sofort aufgeknüpft.

El Bardo wird von Soldaten des Bey bewacht, die sich die Zeit mit Strümpfe stricken, Kleider flicken und ähnlichen militärischen Exerzitien vertreiben.

Auf dem Wege nach Sidi Bu Saïd, der sich durch ein wohlgepflegtes Rebengelände bergan zieht, gelangten wir in die Kellereien des verstorbenen Cardinal Lavigerie, wo

wir um billiges Geld einen feinen Tropfen Muskateller zu
kosten bekamen, ein Wein, der dem Marsala zum mindesten
ebenbürtig ist. Die französischen „weißen Brüder" ver-
stehen es eben nicht nur den Weinberg des Herrn, sondern
ebenso gut auch den erträglicheren botanischen Weinberg
zu bearbeiten, vielleicht noch besser.

Der freundliche junge Franzose, der den Kellereien
vorsteht und uns das Labsal servierte, litt bereits unter
den Anfängen der gefährlichen egyptischen Augenkrankheit,
welche ohne energische Kur mit Erblindung endet.

Unser Dr. med., Augenarzt, machte ihn auf die Gefahr
aufmerksam und empfahl ihm tägliche Behandlung während
einem vollen Jahre.

Er begebe sich wöchentlich einmal zu einem Arzt in
Tunis, aber eine tägliche Absentierung werde ihm seine
geistliche Vorsteherschaft schwerlich gestatten und überdies
könne er so große Kosten nicht erschwingen.

Nach nochmaliger eindringlicher Ermahnung, daß nur
eine tägliche Behandlung zur Heilung führen könne, stiegen
wir das Rebgelände hinan.

Nach wenigen Schritten begegneten wir einem Geistlichen, der in tiefer Andacht in seinem Brevier las.

Wir erlaubten uns, ihn anzusprechen und ihm von
der drohenden Gefahr, in welcher der Jüngling schwebte,
Mitteilung zu machen.

„Ich kann mich mit dieser Angelegenheit nicht befassen;
ich gehöre dieser Mission nicht an," war seine Antwort.

„Wir auch nicht und dennoch" lag uns auf der Zunge;
wir beschränkten uns aber darauf, ihm in aller Höflichkeit
die Ansicht zu unterbreiten, daß er vielleicht vom christlichen

Standpunkt aus im Allgemeinen und als religionsbeflissener und ausübender Glaubensbruder im Speziellen bei der geistlichen Vorsteherschaft ein Wort für den jungen Mann einzulegen in der Lage wäre, hauptsächlich unter Hinweisung auf die ihm von einem Spezialarzt gemachte Mitteilung von der unabwendbar eintretenden Erblindung, wenn nicht sofort ganz energisch geholfen werde.

. „Das ist nicht meine Sache" — und las in seinem Brevier weiter.

Wie konnten wir auch den frommen Mann wegen einer solchen Lappalie, der Erblindung eines ihm unbekannten jungen Mannes, dessen Lebensglück und zukünftige Existenzfrage ihn ja weiter gar nichts angingen, in seiner Andacht stören! —

„Die Natur ist wirklich idealer angelegt, als die Menschen," sagten wir uns nach diesem Intermezzo, als wir die Anhöhe von Sidi Bu Saïd erklommen hatten und uns an der herrlichen Rundsicht weideten; „für Alle ist sie da, ohne Unterschied des Standes oder der Religion, jedem bietet sie freiwillig ihr Schönstes in gleicher Weise und Uneigennützigkeit; von sich aus; weiß nichts von herz- und gemütloser Absonderung und wo sie in eingeengten Schranken künstlich vegetiert, ist sie eben nicht mehr reine Natur; gerade wie gewerblich betriebene Religion auch keine Spur von ächter Religiosität, von Natürlichkeit in sich trägt; von Herz und Gemüt gar nicht zu reden.

Am äußersten Absturz des bewaldeten Gebirgsrückens, der als Kap von Karthago in das Meer vorspringt, liegt der weithin schimmernde Ort Sidi Bu Saïd, wie ein Schwalbennest angeklebt.

Die weißen Landhäuser der reichen Tunesier heben sich gar zierlich von dem saftigen Grün ab. Da sie jedoch nur während der heißen Sommermonate bewohnt sind, so waren sie geschlossen und nur die Häuser der gewerbetreibenden Bevölkerung gaben dem Ort einen spärlichen Anschein von Leben; übrigens ein ganz schmuckes, sauberes Nestchen.

Von dem höchsten Punkte, wo ein Leuchtturm und zugleich Beobachtungsturm der französischen Besatzung steht, konnten wir über den senkrechten Felsenabsturz auf das herrlich blaue Meer herniedersehen, das sich in weiter Fläche am Horizont verlor.

Zur Rechten blickten wir hinüber auf die Hügelkette des alten Karthago und darüber hinaus auf das weiß glänzende Häusermeer von Tunis, auf die in der Sonne hell aufleuchtenden beiden Seen und als Hintergrund die schroffen, zackigen Gebirge, von welchen Tunis und Umgebung das Wasser herbezieht.

Sidi Bu Saïd soll übrigens auch noch innerhalb der Umwallung Karthago's gelegen haben, woraus man auf die Bedeutung und riesige Ausdehnung dieser einstigen Puniermetropole schließen kann.

Von Menschenhänden gegründet und zu Macht und Größe emporgehoben, wurde sie von Menschenhänden zerstört und verschwand; nur die Natur blieb unverändert in ihrer ganzen Lieblichkeit.

Auf dem Rücken eines Esels gelangte ich auf den Höhepunkt des alten Karthago, die Byrsa und das ging so zu:

12

Wir waren von Sidi Bu Saïd herunter gestiegen auf die Einsattelung, die anfänglich eben und dann in mäßiger Steigung über den Hügelkranz hinweg bis zur etwas steiler ansteigenden Byrsa führt.

Unterwegs begegnete uns ein Araberjunge mit einem leeren Esel und da es für mich angenehmer ist, auf vier Beinen anstatt nur auf zweien spazieren zu gehen, ließ ich den Jungen durch einen Dollmetscher, den wir irgendwo aufgelesen hatten, (sie fahnden dort gerade so eifrig auf die Fremden, wie in Europa die Kirchenführer) anfragen, was er verlange, um mich bis zur Kathedrale auf der Byrsa reiten zu lassen.

Für die bescheidene Forderung von einem Franken kann man sich den Luxus gestatten.

Das arme Eselein zeigte auf dem Nacken eine frische blutige Wunde. Auf mein Befragen, woher sie rühre, wies mir der Junge ein spitzes Stäbchen vor, das zum Anspornen diente, indem damit beständig auf die Wunde gestochen wird.

Ich ließ ihm bedeuten, er könne sich glücklich schätzen in Tunis zu sein und nicht bei uns; denn bei uns zu Lande würde er wegen Tierquälerei eingesperrt.

„Bei Ihnen giebt es wahrscheinlich keine faulen Esel,“ war die prompte Antwort.

Man kann darüber verschiedener Ansicht sein; jedenfalls darf man sie bei uns nicht mit einem zugespitzten Stock anbohren.

Daß eine Stätte von solcher historischer Bedeutung wie Karthago trotz mehrmaliger Zerstörung nicht ganz spurlos untergehen konnte, ist selbstverständlich.

Allerdings wurde von den verschiedenen Eroberern gründlich aufgeräumt, aber dann auch wieder aufgebaut, obwohl jedoch die einstige Größe nie wieder erreicht wurde.

Nach den Römern kamen die Vandalen, dann die Byzantiner unter Belisar und hierauf die Araber, und was diese Letztern nicht in fanatischer Wut durch Feuer vernichteten, das wurde zu Bauzwecken weggeschleppt.

Ich habe schon auf die karthagischen Überreste in Tunis hingewiesen, ebenso auf den Palast Achmed Bey's in Constantine.

Aus der Römerzeit stammen die Aquädukte, eine 50 Meter lange Mauer von Amphoren, auf welchen die Stempel der Fabrikanten eingegraben und mit roter und schwarzer Farbe die Namen der Weine, der Konsuln, unter welchen die Weine gekerbstet wurden und der Empfänger verzeichnet sind; Cisternen; die Grundmauern eines elliptisch gebauten, 200 Meter langen Amphitheaters, in welchem noch die Zwinger erhalten sind, die Fundamente eines 1600 Meter langen und circa 350 Meter breiten Cirkus.

Die Vandalen ließen am Meeresufer die Spuren einer Basilica zurück, ebenso die Byzantiner einer solchen auf dem Hügelrücken, von welcher die Lage von Eingang, Schiff und Chor in Kreuzform und Altarplatz noch erkennbar sind.

Am interessantesten aber sind die Überreste, welche die alten Punier selbst zurückgelassen hatten, so z. B. die in den dem Meere zugewandten Hügelabhang eingegrabenen Begräbniszellen, deren man schon über tausend entdeckt haben soll. Diese Gewölbe bargen nicht blos schöne

Sarkophage, sondern auch noch anderes Mobiliar von großer Reichhaltigkeit, welches Alles nebst den aufgefundenen Skeletten im karthagischen Museum auf der Byrsa aufbewahrt wird.

Wir kamen gerade dazu, als von dem leitenden Ingenieur ein Sarkophag aus seiner Klause, in der er schon über zwei Jahrtausend ungestört verweilt hatte, herausgehoben wurde.

Imposant sind die alten karthagischen Cisternen, welche heute noch zur Wasserversorgung im Gebrauch sind.

Die wenig über der Erdoberfläche sich erhebende Bedachung in Form der modernen Kellerwölbungen sind restauriert worden zum Schutze gegen die Einflüsse der Witterung; die gewaltigen Gewölbe jedoch, welche die Wasserbehälter schützen, sind noch in demselben Zustand wie zu Hannibal's Zeiten.

Wir steigen eine granitene Treppe hinunter, die neueren Datums zu sein scheint; unser Führer, der Cisternenverwalter jedoch versichert uns, daß sie vollständig punischen Ursprungs und über 2000 Jahre alt sei.

Bei uns sind oft die steinernen Kellerstufen eines modernen Neubaues nach kurzer Benützung in schlechterem Zustande.

Das einzige Moderne daran sei das eiserne Geländer.

Am Fuße der Treppe breiten sich die großartig angelegten weiten steinernen Bassins aus, die infolge der tiefen unterirdischen Lage ein außerordentlich angenehm kühles Wasser enthalten und damit die Umgebung versorgen.

Auf der Höhe der Byrsa stehen weithin sichtbar die dem heiligen Louis IX. zu Ehren so benannte, in byzantinisch-maurischem Stile ausgeführte gewaltige Basilica, sowie die St. Louis geweihte Kapelle, das Museum Lavigerie und auf dem äußersten Punkt gegen das Meer zu ein Gasthof.

Louis IX. fiel auf einem Eroberungszuge gegen Tunis, den er einesteils unternahm um das Mittelmeer von den tunesischen Korsaren zu säubern, andernteils um sich in dem reichen Tunis die Mittel zu einem neuen Kreuzzuge zu verschaffen und zu diesem Zwecke in den Ruinen Karthagos sein Lager aufgeschlagen hatte, einer in seinem Heere wütenden Seuche zum Opfer.

Das Museum, für welches die fortwährenden, unter kundiger Leitung vorgenommenen Ausgrabungen immer neue Fundgruben bilden, umfaßt Sammlungen in reichster Auswahl aus allen Epochen karthagischer Existenz.

Eine eingehendere Beschreibung derselben muß ich einem fachkundigen Gelehrten überlassen. Überraschend wirken die prachtvollen, gewaltigen Mosaikböden aus alt-römischer und byzantinischer Zeit und die große Zahl von Sarkophagen aus den karthagischen Grabgewölben.

Diese Letzteren sind an den Kopfenden mit Gesichtsmasken verziert, alle übereinstimmend mit demselben Ausdruck.

Lieblich sind diese Gesichtszüge; die geschlossenen Augenlieder und das um den Mund spielende sanfte Lächeln weisen auf die Glückseligkeit im Tode hin und zeugen von der tiefen Ehrfurcht, welche die alten Punier vor ihren Verstorbenen, vor der Grabesruhe, hatten.

Man könnte sogar das Nirwana der buddhistischen Indier nicht schöner und edler versinnbildlichen, als durch den Ausdruck eines seligen Erlöschens, wie er sich in diesen schlummerlächelnden punischen Grabmasken zeigt.

Das schönste und edelste aber, was mir in die Augen fiel, war eine weibliche Marmorstatue von vollendetem Ebenmaß der Formen und ungemein feinem Gesichtsausdruck. Von dem durch das Fenster quellenden Sonnenlicht übergossen, erschien sie uns wie eine Heilige in ihrem Glorienschein, eine Vestalin vor dem Altarfeuer.

Ob dieselbe in Karthago entstanden oder aber, was eher anzunehmen ist, aus dem alten Hellas herübergebracht worden war, das zu beurteilen muß ich wieder einem besser Wissenden anheimstellen.

Überhaupt scheint die karthagische Kunst unter dem dominierenden Einfluß der griechischen gestanden zu haben, worauf die Ausführung der aufgefundenen Gegenstände hinweist.

Auf der Laube des Gasthofes bei einem Gläschen Karthager Wein überschauten wir noch einmal das liebliche Gelände und ließen die Eindrücke auf uns einwirken.

Karthager Wein — schon die alten Römer kannten diesen edlen Tropfen und versandten ihn in ihren Amphoren über's Meer in das römische Reich.

Wie er damals schmeckte, steht nirgends aufgeschrieben; daß aber der heutige von Klosterbrüdern kultivierte Karthager ein fein schmeckendes Tröpfchen ist, das kann ich aus eigener Wahrnehmung zu Protokoll geben.

Und wenn man beim Karthager sitzt, so steigen uralte Bilder vor dem geistigen Auge auf.

Königin Dido auf dem Holzstoß, sich das Schwert in die Brust stoßend, um nicht die Gattin des sie mit Krieg bedrohenden Numidierkönigs Hiarbas zu werden und in dem beseligenden Gefühle, sich im Elysium wieder mit ihrem Gatten Acerbas, einem Priester des Herkules, der aus Habsucht von ihrem Bruder, dem Phönizierkönig Pygmalion, ermordet worden war, zu vereinigen.

Das war also der Ort, den Dido der Legende zufolge von demselben Numidierkönig dadurch erworben haben soll, daß sie anfänglich nur so viel Land begehrte, als in die Umgrenzung einer Stierhaut gehen mochte, diese Haut dann in feine Riemen zerschneiden ließ, womit der ganze Hügel der Byrsa umfaßt werden konnte, aus welchen dann ein für damalige Zeiten gewaltiges Weltreich heraus- wuchs.

Tief unten, da wo der ziemlich steile Abhang sanft ausläuft, glänzen zwei Spiegelein herauf; das eine, kreis- förmig eine kleine Insel umschließend, war der ehemalige Kriegshafen der Karthager; das nur durch eine schmale Landzunge davon getrennte eiförmige der Handelshafen. Beide waren zur Zeit der Benützung durch einen circa 25 Meter breiten Kanal mit einander verbunden.

Es fällt einem wirklich schwer, sich einen Begriff von der Macht der karthagischen Kriegsflotte und von der Größe ihrer Fregatten zu machen, wenn man sich vor- stellt, daß sie in diesem nur etwa 130 Meter im Durch- messer haltenden Weiher Platz hatten.

Der Handelshafen würde mit seiner Länge von circa 460 Meter auf circa 325 Breite kaum den Anforderungen entsprechen, die man an einen Miniatur-Fischerhafen oder

an einen Binnenseehafen stellt und da müßte man noch
die nordamerikanischen Seen davon ausnehmen.

Um die Insel herum, sowie am gegenüberliegenden
Ufer findet man noch Spuren früherer Quaianlagen;
ebenso auch am Ende des Kanales, der vom Handels=
hafen aus ins Meer ausmündete und den bekanntlich
Publius Cornelius Scipio. Africanus minor, im dritten
punischen Kriege zumauern ließ, wodurch dann der Unter=
gang Karthagos beschleunigt wurde.

Im Jahre 146 vor Christus wütete rings um den
Punkt, auf welchem wir saßen, ein Feuermeer, erscholl
das Wehegeschrei der Hunderttausende von Menschen, die
von den unerbittlichen Eroberern hingeschlachtet oder in die
Sklaverei geführt wurden.

Karthago war zerstört — delenda! —

Nie mehr konnte es sich wieder zu seiner früheren
Höhe emporschwingen; es blieb dem Untergang geweiht. —

Und im Geiste schauen wir nieder auf ein abendlän=
disches Kriegsheer, das, angeführt von dem Frankenkönig
Louis IX., mehr als tausend Jahre später in den Ruinen
Karthago's lagert, bis es von schrecklichen Seuchen heim=
gesucht, die Belagerung von Tunis aufgeben mußte.

Daß die Spanier, welche wieder einige Jahrhunderte
später unter Karl V. und Don Juan d'Austria während
beinahe einem halben Jahrhundert Tunis beherrschten,
ebenfalls Karthago zum Ausgangspunkt ihres Angriffes
wählten, ist sehr wahrscheinlich, denn in der Ebene vor
Karthago verlor Kheir-ed-Din, der im Namen des Sultan
Soliman von Tunis Besitz genommen hatte, nach helden=
mütigem Widerstande die Schlacht gegen Karl V.

Als einziges Überbleibsel spanischer Domination steht auf einem Inselchen des Sees von Tunis ein spanisches Fort, in welchem die spanischen von Don Juan d'Austria eingesetzten Verteidiger, nach einem von Sinan Pascha geleiteten Sturmangriff, über die Klinge springen mußten.

Seit jener Zeit, 1574, blieb Tunis beständig im Besitz der Mohammedaner.

Langsam steigen wir den Abhang hinunter zu den beiden Häfen. Friedliche Stille lagert über denselben. Wir schreiten über die Landenge zwischen den beiden Wassern und gelangen in eine Parkanlage, welche einen alten Palast des Bey umschließt.

Schon der osmanische Feldherr Kheir-ed-Din hatte die Dünen bis zum Meeresstrand mit Gebüsch und Bäumen aller Art bepflanzen lassen.

Wir wandern weiter nach Goletta hinüber auf dem weichen mit unzähligen Muscheln besäeten Meeresstrand entlang, der von einer langen Reihe von Badhäuschen, mit welchen Erfrischungs= und Vergnügungsbaracken abwechseln, flankiert wird; Alles geschlossen, leblos. Im Hochsommer mag hier bewegtes, heiteres Leben herrschen. Die eigentlichen Seebäder befinden sich jedoch in El Marsa, jenseits Sidi Bu Saïd, wo auch die reichen Tunesier ihre Landhäuser haben, und der neue sowie der alte Palast des Bey stehen; ebenso auch inmitten einer prächtigen Vegetation das Villenschloß des französischen Residenten.

Andere sehr frequentierte Seebäder sind auch diejenigen von Hamam-Lif, östlich von Tunis und überdies, wo noch Schwefelbäder zur Kur einladen.

Eine sehr breite Straße zieht sich durch das vollständig europäische Goletta bis zum Eingangskanal, in welchem die bewegten Wogen vom Meere her in den See von Tunis rollen oder wieder hinaus, je nachdem der Wind sie treibt.

Und nun nehmen wir die Bahn, die uns nach Tunis bringt. Längs dem See von Tunis fahrend, haben wir noch den Genuß, unzählige Flamingo zu beobachten, die, in dem weit hinein seichten Wasser stehend, dem Fischfang obliegen.

Weiß und rosa erglänzt ihr Gefieder im Sonnenschein. Schon rüsten sich welche zum Abflug in die Bergwaldungen, ihrem Nachtquartier. Sie breiten die Flügel aus, schwingen sie zur Probe auf und nieder und lassen die zarten Farben im Glanz der Sonne aufleuchten.

Bald werden sich ganze Schaaren hoch hinauf in die Luft erheben und dem Gebirge zu schweben.

Und mit diesem letzten herrlichen Bilde nehmen auch wir Abschied von Tunis.

Bevor ich jedoch den Zug besteige, muß ich noch auf etwas zurückkommen, was so recht zeigt, wie in Tunis europäisches Leben und europäische Festlichkeiten sich einbürgern. Ich war gerade in die Zeit des Karnevals nach Tunis gekommen und hatte daher Gelegenheit, den großen Karnevalszug anzuschauen.

In der Mitte der Avenue de la Marine waren Estraden errichtet. Der Festzug bildete sich am Hafenplatz, zog auf der einen Seite hinauf bis zur Avenue de la France und auf der andern wieder hinunter, so daß man denselben zwei Mal betrachten konnte.

Es präsentierten sich 12 reich geschmückte, von Kostümierten besetzte Wagen und zwar:

1) Ein Wagen, der einen Blumenkorb bildete. Als Blumen figurierten zierlich und farbenreich gekleidete kleine Mädchen. Um den Korb zog sich eine von Nelken und Lilien eingefaßte Veranda, welche ebenfalls von Kindern in Blumenkostümen besetzt war; ein reizender Anblick, alle diese rosigen Gesichtchen als Knospen und Blüten der verschiedenartigsten farbensatten Blumenarten.

2) Das XIX. und XX. Jahrhundert, vertreten durch eine Kolossalstimmurne, das allgemeine Stimmrecht darstellend.

3) Eine prächtige venetianische Gondel mit einem monumentalen Löwen von St. Marcus und sehr hübsch kostümierten Gondolieri.

Nun kam eine Schaar Knaben mit allerlei Arbeitszeug als Vortrab eines

4) Nelkenwagens mit wundervollem Nelkenbouquet.

Demselben folgten Gärtner mit ihren Utensilien und eine von einem Esel gezogene Monstrespritzkanne, welche auf mangelhafte Wassereinrichtungen und ungenügende Zufuhr hindeutete.

5) Ein gewaltiger Delphin, der auf seinem Rücken eine mit Nymphen und Tritonen gefüllte Muschel trug, erinnerte an Böcklin'sche Motive.

Es folgte eine Schaar Knaben als Negerklowns auf Eseln und dann

6) Ein mit 3 Paar Ochsen bespannter Tempelwagen. Eine vorn aufgestellte vergoldete Leyer, hinter welcher ein Musikkorps spielte, wies darauf hin, daß dieses Bild

die Kunst verherrlichen sollte, der von einer am Tempel thronenden Königin mit ihren Ehrendamen die rechte Weihe verliehen wurde.

7) Als komisches Intermezzo brachten die Schauspieler der französischen Truppe ein théâtre Fantoches zur Darstellung. Urgelungene Typen, von Kopf zu Fuß kalibraun, stellten sie gebrannte Terracottafiguren dar.

8) In ihrem Gefolge kam nun die ächte Fastnacht zur Geltung: Ein Theater von tanzenden Puppen, Bauern, Photographen, Harlequins, Altfranken, Pierretten, kurz das richtige Durcheinander.

9) Nun aber ein schönes Bild, das die Ächtheit nicht verleugnen kann: Wüstenreisende, Engländer und Araber auf schönen weißen Meharis, gefolgt von schwarzverschleierten Tuaregs.

Hinten drein wieder eine fröhliche Gesellschaft auf Eseln, ein Bild das so eigentlich die Wüste ihres Zaubers, ihrer Originalität beraubt, nämlich ambulante Händler, Maler, Kolonisten, die mit Schweinen auf Pferden und Eseln zu Markt reiten, ein Wüstenvelo, alles aus Holz, die Räder Holzscheiben und sogar eine von einem Esel gezogene japanische Dschinriksha (Mannkraftkarren). Den Schluß bildete ein Wüstenstraßenbahnwagen mit Touristen vollgepfropft.

Jetzt jedoch kommt nochmals eine seriöse Darstellung:

10) Die bis ins Takelwerk hinauf mit Eis und Schnee bedeckte Stella Polaris. Die in weiß und schwarz gestreifte Bemannung und Matrosenmusik nimmt sich sehr hübsch aus. Allerdings passen die weißen Höschen nicht ganz zu den vereisten Raaen und den Eiszapfen, welche von

Bug und Stern herunter hängen; aber schließlich sind wir
ja doch in Tunis im warmen Sonnenschein und können
die guten Leute nicht wohl in Eisbären= und Renntier=
felle eingewickelt eine Schwitzkur machen lassen.

Als Begleitung folgte ein Trupp italienischer Briganten
zu Pferd.

11) Ein arabisches Café mit Musik und tanzenden
Uled Neïls Mädchen durfte selbstverständlich nicht fehlen.

Den Schluß des Zuges bildete als

Nr. 12) ein arabisches Haus mit Kindern in orien=
talischer Tracht, welche Konfekt auswarfen. Also auch
hier Reklame.

Wie man sieht, wird also auch in Tunis ein gar
fröhlicher Karneval gefeiert und zwar in recht honetter,
anständiger Weise, ohne das Herumgezerr und kreischende
Geheul abstoßender, geschmackloser Masken und namentlich
ohne das in Italien und Frankreich übliche widerwärtige
Bewerfen mit Confetti.

Es mag Manchem etwas sonderbar, wenn nicht gar
verfehlt erscheinen, daß in einer Reiseschilderung die Be=
schreibung eines Fastnachtsaufzuges eingeflochten wird.

Wenn man aber das Leben und Treiben in fremden
Ländern ausmalen will, so liegt es gewiß nicht abseits,
wenn man vor Augen führt, wie sich die europäischen
Kolonieen inmitten einer fremdartigen Bevölkerung das
Leben gestalten und erheitern, welchen Vergnügungen sie
sich neben der Erwerbstätigkeit hingeben und in welcher
Weise sie nach sauren Wochen frohe Feste feiern. Es liegt
aber auch noch etwas ganz besonders Anziehendes darin,
schildern zu können, auf welche dezente und sogar sinnige

Art man sich fern von europäischen Bildungs- und Kultur-
centren der Karnevalsfreude hingibt, ohne daß sich rohe
und gemeine Ausschreitungen in aufdringlicher Weise breit
machen.

Recht hübsche Bilder wurden zur Darstellung gebracht, nicht so großartig wie die Umzüge in Europa,
aber sehr nett und geschmackvoll arrangiert im Einzelnen.

So drängt sich dem orientalischen Tunis immer mehr
abendländisches Leben auf, und wenn man von der Höhe
des kunstreich angelegten neuen Stadtparkes, der sich außer-
halb der Stadt einen Hügel hinanzieht, hinunter blickt
auf das zu Füßen ausgebreitete Tunis, so gewahrt man
heute schon in deutlicher Unterscheidung links Christentum,
rechts Mohammedanismus. Ineinander verschmelzen werden
sie sich ja nie. —

Nach Setif. Durch die Schlucht Schabet-el-Ahkra nach Bougie.

Mitternacht vorüber. Nach fünfstündiger Eisenbahn-
fahrt sind wir von Constantine in Setif angelangt. Alles
liegt im Schlafe; wir wecken den Kellner auf, der im
finsteren Speisesaal des Gasthofes auf einem Stuhle schnarcht.
Nur schnell die Zimmer angewiesen, denn heute früh um
5 Uhr müssen wir mit dem Postwagen übers Gebirge nach
Bougie hinunter, eine volle Tagesfahrt und nach der
Rüttelfahrt, die wir eben erduldet haben und angesichts
der uns bevorstehenden noch grausameren Tagestour sind
einige Stunden der Ruhe absolut notwendig.

Allzu früh klopfte uns der kabylische Hausknecht aus dem Gefilde der Seligen, in welches uns der Traumengel geführt hatte und nun standen wir da in finsterer Nacht und warteten, bis die schlaftrunkenen Knechte die Pferde eingespannt hatten.

Wieder wie damals in der Wüste ging es vorwärts im Trab, unter hüh! hüh! und Peitschengeknall in die dunkle Nacht, in den dämmernden Morgen hinein.

In einem Tale mit reichen Kulturen, Mühlengewerben, europäischen und arabischen Anpflanzungen nähern wir uns allmählich den grandiosen Gebirgszügen des Küsten= atlas. Schade nur, daß das Pferdematerial so gering ist.

Aus Habsucht und auch mangels genügender Staats= subvention hat der Unternehmer nur minderwertige Pferde eingestellt, die sich redliche Mühe gaben, ihre Pflicht zu tun und stundenlang zu traben, mit unbarmherziger Roh= heit von dem brutalen Kutscher behandelt.

Wenn irgendwo, so wären in Frankreich und Algier die strengste Wirksamkeit des Tierschutzvereins vonnöten, aber man müßte dann auch auf die Unterstützung der Polizei und des Richters rechnen können.

Wie überall in ganz Algier stoßen wir auch hier auf Spuren römischer Niederlassungen.

Immer näher scheinen die hohen Berggipfel zu rücken, bei jeder Straßenwindung treten wieder neue aus dem Hintergrund hervor, die höchsten hell aufleuchtend in Eis und Schnee.

Langsam klettern wir in großem Bogen einer Paß= höhe entgegen.

Endlich ist sie erreicht, links und rechts begleiten uns grüne Waldungen von Steineichen und nach kurzem Abstieg in dem Tale des Agrium erreichen wir Kerrata am Eingang in die großartig pittoreske Schabet-el-Ahkraschlucht, welche wir nun nach kurzer Mittagsrast durchfahren.

Düster und gewaltig in ihrer Formation wie die Via-Mala in Graubünden, zieht sie sich über 7 Kilometer lang in Windungen längs des schäumenden Agrium nach dem Meere zu dahin.

Am Eingang zur Schlucht steht in Stein eingegraben: „Les premiers soldats qui passèrent sur ces rives furent les tirailleurs commandés par M. le commandant Desmaisons, 7 avril 1864"

und am untern Ausgang derselben:

Ponts et Chaussées.   Sétif-Chabet-el-Ahkra.

Travaux exécutés 1853—1870.

Also 17 Jahre hat die Erstellung dieser Kunststraße erfordert, was an sich schon für die enormen Schwierigkeiten und die Großartigkeit der Ausführung Zeugnis ablegt.

Bis zu 2000 Meter vom Meere steigen die Bergriesen hinan, in senkrechtem Absturz den Bergstrom einzwängend, so daß die Straße, übrigens ein Kunstwerk, das der französischen Ingenieurkunst alle Ehre macht, oft in die Wand eingehauen werden mußte oder hundert Meter über dem tief unten rauschenden von Katarakt zu Katarakt springenden Wasser auf den Vorsprüngen dieser Giganten ruhend weiter geführt wurde.

Manchmal hängen die himmelanstrebenden Felswände über, sich beinahe mit der gegenüberliegenden vereinigend, so daß man sich des unheimlichen Gefühles nicht erwehren kann, von Riesenklammern gefaßt zu sein.

Plötzlich hat oftmals die Schlucht ein Ende, eine unermeßlich hohe Wand schließt dieselbe ab, oder die uns links und rechts einklammernden Felsenmassive scheinen vollständig zusammen zu stoßen, ohne auch nur eine Durchgangsspalte offen zu lassen.

Sowie wir aber in die Nähe dieses Abschlusses gelangen, geht es in scharfer Biegung um eine Ecke herum und wir sind wieder frei. So wiederholt sich dieses Spiel öfters; auf halbem Wege führt uns eine hundert Meter hohe und ebenso lange Brücke vom linken auf das rechte Ufer.

Enge Seitenklüfte, bis zur Bergesspitze hinan dicht bewaldet und in den Felshängen klaffende Risse und Höhlungen zeigend, dienen nicht nur zahllosen Schwärmen wilder Tauben, sondern ganzen Affenkolonien zum Aufenthalt.

Bei warmem Wetter sieht man die Affen oft zu dem Agrium herunter klettern, um dort ihren Durst zu stillen.

Leider war es zur Zeit unserer Durchfahrt zu kalt und die Affen hatten sich in ihre Felshöhlen zurückgezogen. Es hätte mich sehr interessiert, sie in der Freiheit herumturnen zu sehen. Wir bekamen blos auf einer Station am Ausgang der Schlucht einige junge Gefangene zu Gesicht.

So geht die Fahrt durch die schauerlichschöne Schlucht weiter, von Windung zu Windung sieht man immer wieder gigantischere Felswälle sich auftürmen; hoch oben schweben wir über dem in senkrechter Tiefe unter uns sich überstürzenden schäumenden und tosenden Agrium; keinem menschli-

13

chen Wesen begegnen wir auf dem ganzen Weg, vorwärts, vorwärts drängen die Pferde dem Ausgang, der freien Luft entgegen.

Die Phantasie der Araber hat das Schreckhafte, das geheimnisvoll Gewaltige dieser Kluft, welche den Menschen, der sie betritt, wie eine Unterwelt zu verschlingen scheint, in bezeichnender Weise mit dem Namen Schabet-el-Ahkra, d. h. Schlucht des Sterbens, des Todeskampfes, belegt.

Vielleicht auch, weil in früheren Zeiten Räuberbanden, die raubgierigen Kabylen, welche die nahe gelegenen Berg=kuppen bewohnten, den einsamen Wanderern, die den mühevollen Felsenpfad in der finsteren Schlucht hinauf klommen, auflauerten, sie beraubten und die Leichen in den Agrium stürzten, der sie dem Meere zutrieb, wenn sie nicht irgendwo in den Felstrümmern und Kesseln des Bergstromes hängen blieben, von wo sie niemals mehr zum Vorschein kamen.

Endlich öffnen sich die Riesenmauern etwas mehr; dann treten sie immer weiter zurück, wie die Mächte der Finsternis vor dem strahlenden Lichte zurückweichen müssen; an ihrer Stelle erscheint ein liebliches Hügelgelände und in geringer Entfernung blinkt das Meer zu uns herauf.

Noch einen Blick zurück in die schauerliche Kluft und hinauf zu den Riesen, die uns aus ihrem engen Gefängnis entschlüpfen ließen; dann verlassen wir den Agrium, der vorerst immer noch in tiefem Einschnitt dem Meere zueilt und biegen scharf nach der linken Seite hin ab, nach Bougie zu.

Die Gedanken jedoch verweilen noch lange in dieser ungeheuerlichen Felsenklammer; die Sinne können sich nicht

so bald von den Eindrücken dieser in überwältigender
Weise auf uns einwirkenden Großartigkeit, wie sie impo=
santer, gewaltiger keine der berühmtesten Alpenschluchten
zeigt, loswinden und nur langsam werden sie von der
himmelweit dagegen kontrastierenden Lieblichkeit des Land=
schaftsbildes, dem wir nun entgegen fahren, auf andere
Bahnen geleitet.

In funkelndem Sonnenschein begrüßt uns an den zum
Meere sich niedersenkenden Hängen herrliches saftiges Grün;
Kork= und Steineichen, Silberpappeln und ungeheure Eschen=
und Olivenbäume wechseln mit Lorbeer, Kirschlorbeer, Myrten
und wildem Wein in angenehmem Farbenspiele ab.

Und alles das so frisch und duftend, als befänden wir
uns mitten im treibenden, sprossenden Frühling.

Bei einem kleinen Restaurant wird die letzte Rast ab=
gehalten. Ein Kabyle bietet uns zwei junge Affen, die
er in der Schabet-el-Ahkra gefangen hatte und welche
nun fröhlich im Gebüsch herumklettern, zum Kaufe an.

In der Nähe wird eben ein Markt abgehalten. Um
Schafe, Esel, Maultiere, Ziegen und magere Pferde
wird dort gefeilscht und gehandelt; Fleischer bieten
auf improvisierten Schlachtbänken Fleisch aus, dem ich
nur halbwegs trauen würde, aber die Kabylen sind nicht
so appetitlich und delikat, es kommt ihnen mehr auf den
Preis an als auf die Qualität.

Nun nähern wir uns dem Cap Aokas; die Straße
ist in die senkrechte Felswand eingehauen, oben hängt der
Fels über und unterhalb der Straße weicht er zurück,
so daß sie wie ein frei angebrachtes Gesimse um den Vor=
sprung herumläuft und wir von ziemlicher Höhe auf den

tiefblauen Meeresspiegel direkte zu unsern Füßen nieder=
sehen können.

„Dort drüben ist Bougie", avisierte uns der Kutscher,
indem er mit der Peitsche über eine Bucht hinweg auf ein
weißblinkendes Nest hinwies, das sich in ziemlicher Höhe
an der in das Meer vorspringenden Bergwand aufbaute.

Aber noch hatten wir eine lange Strecke um den
ganzen Meerbusen herumzufahren, dann noch eine letzte
steile Straße hinauf, bis wir endlich in der Abenddäm=
merung vor dem auf einem kleinen freien Platze gelegenen
Postgebäude Halt machten und mit steifen Gliedern von
unsern Sitzen herunter steigen durften.

Am Rande dieses Platzes fällt die Wand senkrecht auf
das Schiffergestade und den Hafen ab.

Bougie zieht sich amphitheatralisch an dem steilen
immergrünen Bergeshang empor.

Wie alle diese Küstenorte und Hafenplätze war Bougie
abwechslungsweise im Besitz der Karthager, die den Ort
wahrscheinlich gründeten, Numidier, Römer, Vandalen,
Araber, Spanier und schließlich wieder der Mauren, bis
es endlich in französische Hände fiel und heutzutage ein
rein französisches Hafenstädtchen geworden ist, in welchem
die Kabylen nur einen kleinen Teil der Bevölkerung
bilden.

Fast alle diese Völkerschaften haben natürlich auch
ihre Spuren zurückgelassen; die alten Römer ein Stück
der Festungsmauer, Cisternen und Brunnen, Ruinen eines
Amphitheaters, Säulen ꝛc., die Araber und Spanier
Festungswerke und vorgeschobene Forts.

Der letzte Verteidiger von Seiten der spanischen Herrschaft, Don Alfonso Peralta, welcher dem Belagerer Salah-
Reis, Pascha von Algier, nicht mehr widerstehen konnte
und sich übergeben mußte, wurde nach seiner Rückkehr
nach Spanien auf Befehl Karls V in Valladolid auf
öffentlichem Platze enthauptet.

Leider war die Zeit meines Aufenthaltes zu kurz
bemessen, um Gelegenheit zu haben, die Umgegend dieses
reizend gelegenen Ortes, der vermöge der günstigen
geschützten Lage und Configuration seines Hafens einer
der bedeutendsten Seehäfen der Nordküste Afrika's zu
werden verspricht, sobald einmal die in Aussicht genom-
menen Vergrößerungsarbeiten stattgefunden haben werden,
eingehender zu besichtigen und deßhalb mußte ich mich auf
einen Morgenspaziergang beschränken.

Vom Gasthof aus, der am westlichen Ende des Ortes
lag, gelangt man auf hübschem Fußweg, der sich zwischen
Olivenbäumen bergan zieht, auf einen erhöhten Punkt,
wo man einen Überblick über dieses terrassenförmig auf-
steigende Städtchen, die die große Rhede beidseitig ein-
fassenden Gebirgsvorsprünge und das weite himmelblaue
Meer genießt.

Auf der Höhe waren gerade von Turcos bewachte
Militärsträflinge mit der Anlage einer Straße beschäftigt.

Wie mancher dieser jungen Leute mag sich nun schwere
Gedanken machen und den Tag verwünschen, als er sich
unbesonnener Weise dazu verleiten ließ, sich in der Fremdenlegion anwerben zu lassen.

Der Weg führte mich hinunter dem Festungswalle
entlang zu dem auf einer Terrasse erbauten Fort Mussa,

jetzt Fort Barral genannt, nach dem General de Barral, welcher in einem Gefecht gegen die Kabylen im Jahre 1850 tötlich verwundet dort starb und in einer Nische beigesetzt wurde.

Dieses imposant aussehende Festungswerk gewährt auf seinem Felsenplateau einen malerischen Anblick.

Es wurde von Peter von Navarra, dem Eroberer von Bougie, im Jahre 1509 erbaut und ist noch sehr gut erhalten. Die dortigen Anwohner bezeichneten es mir deßhalb auch nur als „Fort espagnol".

Über Beni-Mansur und Tisi-Usu ins Herz von Groß-Kabylien.

Gegen Mittag besteigen wir den Eisenbahnzug der uns nach Beni-Mansur und Menerville, von wo eine Zweigbahn nach Tisi-Usu in Großkabylien führt, bringen soll. Wir durchfahren das sich nach dem Meere zu verbreiternde Tal des Ued Sahel in südwestlicher Richtung.

Auch hier begegnen wir wieder den alten Römern, denn am Fuße des südlich sich hinziehenden Gebirgszuges liegt Tiklat, die alte Römerkolonie Tubusuctus, wo noch viele Überreste, Gräber, Meilensteine, Säulen, Gewölbe, Inschriften und namentlich in sehr gutem Zustande sich befindliche Cisternen für ein bedeutendes altrömisches Gemeindewesen sprechen.

Eine dieser Cisternen ist in 15 Abteilungen eingeteilt, jede einzelne von 4,20 Meter Breite auf 35 Meter Länge und 6 Meter Tiefe.

Man kann aus diesem gewaltigen Wasserwerk allein schon auf die Wichtigkeit des Ortes und das regsame Leben, das sich im alten Tubusuctus entfaltet haben muß, schließen.

Die Berge treten etwas näher zusammen, auf der einen Seite die Kette des Dschurdschura in Großkabylien, auf der andern diejenige des Babor, welche die Schabet-el-Ahkra in sich schließt, eine Vorkette des Gebirgszuges des Biban.

Nun aber betreten wir die weite fruchtbare Ebene des Sahel.

Die Bahn folgt immer dem durch die Ebene sich schlängelnden Sahel bald in näherer bald in weiterer Entfernung.

Ausgedehnte Olivenwaldungen reichen nordwärts bis an eine Reihe niedriger roter Sandgebirge, in welche zahlreiche Kabylendörfer eingenistet sind.

Hinter diesen Vorbergen erhebt sich stolz in die Wolken strebend das steil abstürzende Felsengebirge des Dschurdschura, von dessen Kuppen und Zacken Schneefelder und in der Sonne hell glänzende Gletscher aufleuchten; der südliche Grenzwall von Großkabylien.

In südlicher Richtung dehnt sich die fruchtbare Ebene weiter aus, bis sie die Kette der Bibanberge, eines Gebirgszuges des großen Atlas, erreicht.

In diesem prächtigen Landschaftsbild fahren wir weiter bis nach Beni Mansur, wo wir die Hauptlinie, die von Algier nach Constantine führt, besteigen, um dieselbe in Menerville wieder mit der Zweiglinie nach Tisi-Usu (Tizi-Ouzou), im Herzen von Kabylien, zu vertauschen.

Tisi-Usu, der Hauptort von Großkabylien liegt sehr hübsch auf einem zu beiden Seiten von den mäßig ansteigenden Vorläufern des Küstenatlas eingefaßten Plateau in der Höhe von 257 Meter über dem Meere. Der Ort selbst ist teils französisch, teils kabylisch; der französische auf ebenem Terrain und nach Art der besseren Landstädtchen von einer breiten Hauptstraße durchzogen; der kabylische zieht sich mehr bergan.

Im Hôtel Lagarde fand ich gute Nachtruhe; war jedoch nicht im Stande, etwas zu genießen, weil ich von sehr empfindlichem Leibgrimmen geplagt wurde, das mich auch andern Tages nicht verlassen wollte.

„Sie haben gewiß Wasser getrunken?" fragte mich ein Mitreisender und als ich das bejahte, gab er mir den guten Rat, dieses Getränk lieber den Eseln und Maultieren zu überlassen; denn da es durch ganz Algier natronhaltig sei, verursache es Leibschmerzen und Diarrhoe.

Ich wurde daher überzeugter Antiabstinentler, trank nur noch Wein und befand mich wohl dabei.

Schließlich kommt es weniger darauf an, ob man Wein trinkt, als wie man ihn trinkt, und mäßig genossen wirkt er nicht blos erheiternd auf das Gemüt, sondern fördert auch noch das allgemeine Wohlbehagen, wie ich an mir selber auf meiner Kabylienreise in überzeugendster Weise erfahren habe.

Die Reben tragen nicht zwecklos so viele Trauben, daß man nicht alle essen kann und wenn unser Herrgott uns das Verständnis zum Keltern derselben gegeben hat, so soll man sich nicht dagegen auflehnen, sondern sich beftreben, in dankbarer Erkenntlichkeit einen möglichft guten Tropfen herauszupreffen.

Damit eröffnet man aber auch einem mit Rebenkultur gesegneten Lande finanzielle Befruchtungsquellen und trägt fomit mittelbar zur materiellen Wohlfahrt der ganzen Bevölkerung bei. Dixi! —

Da der Wagen, der mich nach Fort National bringen follte, erft Mittags abfährt, benützte ich den Vormittag, um dem Berg Bellua, der fich nördlich von Tisi-Usu bis zu einer Höhe von 710 Meter erhebt, einen Befuch abzuftatten.

Ein Maultier war bald aufgetrieben und fo ritt ich unter Führung eines rothaarigen Kabylen auf einem fteinigen Zickzackpfad den Berg hinan.

Der Weg führte mich zuerst durch das Kabylenviertel, niedrige Steinhäuschen, nicht über Erdgeschoßhöhe, mit einem schmalen Loch als Fensteröffnung, holperige Gassen, auf welchen Abfälle und Unrat herumliegen.

Der Pfad windet sich immer mehr in die Höhe; an den steilen Hängen, die bis zur Spitze des Berges kultiviert sind, klettern Kabylenweiber mit kleinen kurzftieligen Hacken und Spaten versehen herum, die, wie mir mein Begleiter mitteilte, Bohnen und anderes Gemüse ziehen und wie mir schien, damit beschäftigt waren, den Boden von Unkraut zu säubern. Es war eine äußerst mühselige Verrichtung, weil sie wegen der Steilheit der Halde fich kaum aufrecht halten konnten. Nichtsdestoweniger schienen fie fröhlichen Mutes zu fein und grüßten uns lachenden Mundes.

Beinahe an der Spitze der Kuppe klebt das Kabylendorf, welchem diese Frauen angehören.

Wie die Nomaden der Wüste, sind auch diese Kabylenweiber unverschleiert, sowohl in den Feldern als auch in
den Ortschaften.

Die Verschleierung wäre der Feldarbeit, der die Frauen
meist obliegen, allzu hinderlich und deshalb ist man ganz
davon abgekommen.

Nur die Vornehmeren, welche abgeschlossen in ihren
Harems leben, halten das Gebot noch in Ehren, wenn sie
auf die Straße hinaus müssen.

Das Maultier hat sich durch die engen, krummen
Gäßchen des Dorfes hindurchgewunden, in welchem einzelne
besser gepflegte Gehöfte mit weißgetünchten Häusern, aber
ebenfalls nicht über Erdgeschoßhöhe, auf wohlhabendere
Landbesitzer und Dorfmagnaten hinweisen.

Sonst sind die Gäßchen gerade so schmutzig wie in
dem in Tisi-Usu durchrittenen kabylischen Viertel und ein
unsauberes Wässerchen schlängelt sich zwischen dem Gestein
hindurch, welches natürlich auch Kanalisationszwecken
dienen muß.

Jetzt ist der Grat des Berges erklettert, auf der andern
Seite fällt der Hang jäh ab, tief unten windet sich der
Großkabylien durchfließende Sebau dem Meere zu und nun
ist auch die Kuppe erreicht, die von der Wohnung des
Marabu dieser Gegend, dem Orts- oder Distriktsheiligen,
gekrönt wird.

Diese Wohnung ist originell angelegt. Links und rechts
von einem mit breiten Fliesen gepflasterten Hofraum stehen

die niederen Gebäulichkeiten für die Dienerschaft; sowie die Familie des sonderbaren Heiligen und für ihn selber.

Weinreben ziehen sich darüber hinweg, dem Hofraum kühlenden Schatten spendend.

Und diese Behausung, so wenig umfangreich sie auch ist, nimmt das ganze ebene Plateau des Berges ein; links und rechts fällt der Hang jäh ab und nur auf dem äußersten Vorsprung sind noch ein anmutiges kleines Wäldchen und ein kleiner freier Rasenplatz vorgelagert.

Eine idyllischere Wohnung läßt sich nicht denken, wenn nur auch das Innere dem Äußern mehr entsprechen würde.

Aber das Schlafzimmer des Marabu ist ein kahles, dunkles Loch, dessen einzige Bequemlichkeit in einem europäischen Bett besteht.

Das Ganze bildet eine für sich abgeschlossene Hofstatt, zu welcher zwei an beiden Schmalseiten des Rechtseckes angebrachte Pforten den Durchgang gestatten.

Einige Kabylen, welche auf den Steinfliesen kauern, scheinen riesig mit Nichtstun beschäftigt zu sein. Dafür schinden und arbeiten die Frauen um so mehr.

Ein hübsches junges Kabylenfrauchen mit einem Kinde auf dem Rücken, das uns vom Dörfchen aus vorangegangen war, gab sich als die Tochter des Marabu und Gattin eines Dorfmatadoren zu erkennen, wofür ihr die Reverenz in Form eines Silberstückchens erwiesen wurde, welches, wie mir vorkam, einen Achtungserfolg errang.

Der alte Marabu selber war nicht anwesend und deshalb schritt ich durch die kleine Residenz und das Wäldchen zu dem freien Platz am Ende der Kuppe, von wo aus man einen herrlichen Fernblick genießt.

Nach dem Meere zu das tiefliegende Tal des Sebau, zu welchem fruchtbare Hänge hernieder steigen; darüber hinweg die äußerste Kette des Küstenatlas, die sich dem Meere entlang bis nach Bougie hinzieht.

Gegen Westen sind am äußersten Horizont die weißen Häuser von Algier an steil aufsteigendem Bergeshang erkennbar und nach dem Innern zu die Berge und tief eingekerbten Täler Kabyliens bis zur stolz himmelwärts strebenden schroffen und vielzackigen Kette des Dschurdschura, der mich in seiner Formation an die Pilatuskette gemahnte, allerdings in größerer Ausdehnung als Letztere, auch imposanter und schreckhafter in der Formation des Aufbaues von der in schwärzlichen Schatten versunkenen Tiefe aus.

Auf allen Kuppen und Gräten blitzen die weißen Kabylendörfer auf; man muß sich oft fragen, wo sie nur den Raum hernehmen, um nicht hinunter zu gleiten, so stotzig geht es beidseits zu Tal.

Von weitem sehen diese Nester sehr hübsch und niedlich aus, im Innern der Gäßchen jedoch mögen sie für einen Landschaftsmaler mehr Interesse bieten; denn Malerisches findet er dort zum Überfluß.

Und wieder klettert mein sicheres Tier Schritt für Schritt ins Tal hinunter; ich halte es jedoch sehr bald für weitaus bequemer, den Abstieg auf diesem steinigen, zackigen, sich krümmenden und windenden Steig zu Fuß zu machen und komme noch gerade recht, um den Postwagen zu besteigen.

Meinen Kabylenführer dankte ich mit seinem Maultier ab. Es war ein treuherziger Bursche, der mir unterwegs erzählte, wie arm sie seien, wie gering der Verdienst und wie mühselig er errungen werden müsse.

Ich glaube aber, daß der Fehler auch an der Bevölkerung liegt, die es sich mit der Arbeit im Allgemeinen bequem sein läßt, obschon zwar man von den Kabylen sagen darf, daß sie regsamer und fleißiger sind als die Araber.

Mit seinen roten Haaren, dem mageren roten Schnurrbärtchen und den wenigen Borsten ums Kinn herum, sowie seinem Milchgesicht und den blaugrauen Augen, gemahnte mich der kräftig gebaute und ziemlich hoch gewachsene junge Bursche an einen württembergischen Metzger- oder Bäckerknecht, und hätte er ein gestreiftes Hemd und einen weißen Schurz, eine schief auf den Kopf gestülpte Schirmmütze getragen, statt Burnus und Schescha, so hätte ihn gewiß der gewiegteste und gelehrteste Rassenkenner in dieselbe Menschenklasse eingeteilt.

Die Kabylen rühmen sich, die Nachkommen der alten Karthager und Numidier, vornehmlich aber der Römer zu sein, die dann von den eindringenden Sarazenen in die Gebirge zurückgedrängt worden seien.

Es war der Instinkt der Verteidigung, der sie ihre Ortschaften auf fast unnahbaren Höhen anlegen ließ, der Verteidigung sowohl gegen einen äußeren Feind, als auch in ihren blutigen Fehden unter sich, Stamm gegen Stamm!

Links und rechts konnten sie Ausblick halten ins Tal hinunter, einen heranrückenden Feind beobachten und ihre Verteidigungsanstalten darnach treffen.

Jedenfalls zeugen aber die Farbe von Haut, Haar und Augen, sowie die meistens kräftigere, untersetzte Gestalt,

die gröberen, breiten Gesichtszüge davon, daß eine Mischung
mit Vandalen- und Gothenblut, sowie auch Kreuzungen
mit geraubten Christensklaven und Sklavinnen stattgefunden
haben.

Die Abneigung der Kabylen gegen die Araber ist
bekannt; ja selbst der Name sagt, daß sie nur gezwungen
sich der arabischen Oberherrschaft unterwerfen und den
mohammedanischen Glauben angenommen haben; denn
Kabyl stammt ab von dem arabischen m'kbel „ich nehme
an", was so viel sagen will, daß sie nur unter dem Zwange
des Schwertes Bekenner des Islam geworden waren.

Man könnte daher die Benennung „Kabylen" sehr
wohl mit der Bezeichnung „Acceptanten" übersetzen.

Ich erhebe durchaus keinen Anspruch darauf, mit dieser
Definition eine sprachlich gelehrte Erklärung der Rassen-
bezeichnung „Kabyle" festgenagelt zu haben, möglicherweise finden kundige Sprachforscher und speziell Kenner
des Arabischen eine andere, richtigere Auslegung; einstweilen aber scheint mir der obige acceptabel, denn daß
das schwierig auszusprechende arabische kbel in kabyl
vereuropanisiert wurde, liegt gewiß sehr nahe.

Herrlich breitet sich das Tal des Sebau vor uns aus
und wir fahren fröhlich in die Ebene hinein, einem Vor-
gebirge der Dschurdschura-Kette entgegen, das durch das
tiefeingeschnittene Tal des Gebirgsstromes Ued Aissi von
Letzterer geschieden wird.

Über den Ued Aisse führt eine schöne eiserne Brücke.

Schon seit längerer Zeit war in der Ferne auf dem
hohen Bergeskamm ein großes Gebäude zu erblicken, dessen

Umriſſe ſich vom Himmelsblau abhoben, ähnlich wie ſich
die Silhouette des Hôtel Rigi=Firſt vom Vierwaldſtätterſee
aus auf dem Rücken des Rigi vom blauen Äther abzeichnet.

Das war die Gemeindeſchule des Bezirks Fort National;
alſo dort hinauf führte unſer Weg.

Langſam klommen die Pferde die Bergnaſe zwiſchen
den Tälern des Sebau und des Aissi empor, in vielen
Windungen ſich bald dieſem, bald jenem nähernd.

Eine wohlgepflegte Olivenpflanzung, Mandelbauman=
lagen, Orangenhaine und wohlbeſtellte Gemüſegärten, aus
welchen Wohn= und Wirtſchaftsgebäulichkeiten herausragen,
zeigen ſich in der Tiefe des Tales Aissi.

„Das ſind Öl= und Fruchtmühlen, die Pflanzungen
und die Wohnung des Herrn Lalénégère" (auf gut
ſchweizerdeutſch Leutenegger), belehrte mich der Kutſcher.
„Vor Jahren hat er, aus der Schweiz kommend, als
Müllerknecht hier Dienſt genommen und iſt jetzt Eigen=
tümer und einer der reichſten propriétaires Kabyliens."

Nach ungefähr 1¹/₂ ſtündiger Bergfahrt machen wir
bei Adeni Halt, damit die Pferde verſchnaufen und ſich
ausruhen können.

Es iſt dies ein Sammelpunkt aller Reiſefuhrwerke und
Reiſenden, welche herunterkommen oder hinaufziehen, nicht
nur wegen dem wirklich prächtigen Niederblick, den man
vom Rande der Straße aus im Schatten einiger Bäume
auf das Tal des Sebau und die dasſelbe begrenzenden
Küſtengebirge hat, ſondern auch weil bei Adeni ein Kabyle
einen vorzüglichen mauriſchen Kaffee ſerviert, die Taſſe zu
einem sou = 5 Centimes = 4 Pfennige.

Da war von Cichorie auch nicht eine Spur zu ent-
decken, und der Geschmack erst: „rein soll er sein", und
er war es auch.

Als ich eine zweite Tasse bestellte und für jede zwei
sous bezahlte, konnte sich der Wirt vor Dankbarkeit fast
nicht mehr fassen und verbeugte sich mehrmals beinahe
bis zur Erde nieder.

Im Hauptlokal der Wirtschaft, übrigens eine ganz
gewöhnliche Spelunke und das Kaffeelokal eine finstere
Küche, werden alle möglichen Getränke, kabylischer Wein,
Liqueurs und Schnäpse ausgeschenkt, an welchen sich Ein=
geborene, und namentlich die Kutscher erlabten. Wir
Fremde, es waren noch zwei Wagen da, einer von oben
herunter und einer von unten herauf, zogen den ausge=
zeichneten Kaffee vor, der uns im Schatten der Bäume
köstlich mundete.

Noch eine Anzahl Windungen und wir erreichten den
Kamm des Berges. Die schön angelegte und gut unter=
haltene Straße zieht sich nun immer fort auf der Höhe des
Bergrückens hin, so daß die Pferde gut ausgreifen konnten.

Schon von Adeni weg hatten wir eine aus kabylischer
Jugend, dem Stolz der Zukunft, bestehende Begleitung.

Aus den verschiedenen zunächst gelegenen Bergnestern
waren sie über die Abhänge herunter gekugelt und bildeten
bettelnd unsere Eskorte.

So ganz umsonst verlangten sie allerdings kein Almosen.
Ihre Gegenleistung bestand in der Rezitation von Lafon=
taine's Fabeln und im Gesang französischer Lieder.

Mit gutem Accent rezitierte einer dieser Wichtelmännchen
die Fabel: „La cigale et la fourmi", ein anderer: „Le

corbeau et le renard" und ein dritter deklamierte gar eine längere Poesie von der sainte vierge et la fête de noël — der Muselmann!

Dann erscholl wieder im Chor: „Vive le drapeau de la France!" oder „A travers les bois" und andere Lieder mehr, wobei die führenden Sänger den Takt mit dem Zeigefinger dazu schlugen.

Alles das lernen diese Kabylenschößlinge in den franzö-sischen Gemeindeschulen, die in ganz Kabylien, gerade wie diejenige in Tugurt, zur Erziehung und Aufklärung der Jugend und dadurch zur Assimilation an europäische Civilisation beitragen.

Jede persönliche Leistung, Fabel oder Gedicht, wurde mit einem sou extra an den Vortragenden und einigen weiteren für den Chor belohnt, die im Bogen ausgeworfen wurden, damit die darnach Haschenden nicht zu nahe an die Räder gerieten.

Komisch war es dann anzusehen, wie diese Wildlinge über einander kollerten und mit affenartiger Behendigkeit den außerordentlich steilen Hang hinunter purzelten, um einen sou zu erhaschen.

Ganz wie die Jungen in Singapore, Ceylon und Aden, wenn sie sich kopfüber aus dem Canoe ins Meer stürzen, um einen Silberling aufzufangen, ehe er auf den Meeresboden gelangt, den sie dann in ihrem natürlichen Porte-monnaie unter der Zunge bergen.

Schon mehrmals hatte ich die Knirpse mit meinem Schirm abseits gehalten und sie auf die Gefahr der Wagenräder aufmerksam gemacht.

14

Es half nichts, sie drängten immer wieder zu und
plötzlich erscholl ein fürchterliches Wehgeheul.

„El carossa" und dann noch etwas arabisch ertönte
es in kreischendem Durcheinander aus dem Haufen unserer
Begleitungsmannschaft.

Und wirklich war ein Wagenrad einem der Kleinsten
über den nackten Fuß gefahren, was ein Staubstreifen
über dem Rist und Blutstropfen, die bei dem Nagel der
großen Zehe hervorquollen, bestätigten.

Der Kleine heulte jämmerlich und hinkte wie ein
Droschkengaul.

„Was ist da zu machen", fragte ich den Kutscher,
„sollen wir ihn auf den Wagen nehmen".

„Ah bah"! lautete die Antwort, „geben Sie ihm
einige sous, das ist das beste Mittel".

So war es auch; sobald ich ihm einige sous gereicht
hatte, versiegte der Tränenstrom plötzlich wie ein Fluß in
der Wüste, ein zufriedenes Lächeln strahlte über seine
Züge und: „à travers les bois" ertönte sein helles
Stimmchen im Chorus mit den Andern, wobei er taktfest
nebenher hinkte, der reinste Lahrer hinkende Bote.

Die Höhe war erreicht, im Trabe ging es vorwärts
und damit verschwand auch unsere fröhliche Eskorte.

„Warum tragen die Kabylen schwarz lackierte Mützen
und nicht die rote Schescha, wie die Araber", fragte ich
den Kutscher.

„Sie irren sich; das sind ja ursprünglich rote wollene
Schescha's, nur sind sie eben schwarz glänzend vom
Schmutz der darauf lagert. Wir sind eben hier in Kabylien
und das Wasser ist tief unten im Tal".

„Ja so, na dann". —

Wunder nimmt es mich, wie sie ihre von der Religion vorgeschriebenen Waschungen vornehmen.

Wir fahren um eine felsige Kuppe herum; ein breiter steiniger Weg führt zu dem bedeutenden auf dieser Kuppe erbauten Kabylendorf Assussa.

Eine pittoreske Erscheinung bot eine große Zahl Einwohner, welche aus der Ortschaft hernieder stiegen. Wahrscheinlich war Festtag.

Die Frauen in ihrem faltigen weißen oder feuerroten Gewande, das durch einen Gürtel um den Leib zusammen gerafft wird, sehen besonders interessant aus, meistens jedoch nur aus der Ferne.

Wie manche dieser Gestalten sah ich elastischen Ganges dahin schweben wie eine anmutige Hebe, das weiße oder rote Kleid in malerischem Faltenwurfe flatternd, ein Bild, wie sie in griechische Götterhaine gezaubert werden, aber je näher sie schwebten, je mehr schwand Zug um Zug von dem göttergleichen Bild und wenn schließlich aus der Gewandung sich ein verwitterter, ebenso faltenreicher Kopf abhob, da war es mit der Illusion völlig dahin.

Die Kabylen scheinen ihre hübschen jungen Töchter gerade so scharf zu hüten, wie die Juden in Tunis. Vielleicht wegen den jungen hübschen französischen Offizieren.

Unter dem vielen Volke, das aus dem vorerwähnten Orte herniederstieg, waren auch ein Europäer und eine europäische Dame, möglicherweise Lehrer und Lehrerin, denn wir befinden uns nicht weit, sowohl von der arabisch-französischen Gemeinde- als auch von der Professionsschule, in welch' letzterer junge Kabylen zur Erlernung des

Wagner=, Schreiner= und Tischlerberufes angehalten werden.

Der Vorarbeiter dieser Schule, der von Tisi-Usu aus mit uns fuhr, teilte uns mit, daß die jungen Kabylen sich sehr gut anließen und daß Möbel und Haus= und Ackerbaugeräte erstellt würden, welche unter der kabylischen Bevölkerung guten Absatz fänden.

Es ist unnötig noch extra hervorzuheben, daß der Rundblick von dem Höhenkamm, den man etwa mit der Fahrt von Rigi-Kaltbad nach Rigi-Scheidegg vergleichen kann, ein unbeschreiblich schöner war.

Jetzt hatte man die zackige, starr und steil aufragende Dschurdschura-Kette gerade vor dem Auge, dort die Pyramide des höchsten Berges im Atlas, des Lella-Khredidscha, der sich 2308 Meter über dem Meere erhebt und daneben nur durch ein tief eingeschnittenes Gebirgstal von ihm getrennt, der nur um 3 Meter niedrigere Akuker.

Nach dem Schelia im Aurès ist also der Lella-Khredidscha der höchste Berg in Algier.

Interessant ist der Ausblick auf die auf Gebirgsvorsprüngen, Ausläufern, Kämmen und Kuppen gelagerten Kabylendörfer und die in vielfachen Windungen an den fast senkrechten Hängen sich emporwindenden Pfade, auf welchen die in ihre Burnusse gehüllten Reiter auf ihren Maultieren langsam empor klettern und Frauen mit dem Wasserkrug auf der Schulter mühsam hinan steigen, denn so zu sagen jeder Tropfen Wasser muß tief unten in der Schlucht geholt werden.

Dort unten bei den kühlen beschatteten Quellbrunnen mag es manches mehr oder weniger lange Klatschstündchen absetzen, wie an unsern Dorfbrunnen und auch die Jungmannschaft wird nicht ermangeln sich dort einzustellen, um unter dem Vorwand, einen Trunk kühlen Wassers zu genießen, sich beim verabredeten Rendez-vous einzufinden.

Wenigstens deuten viele Photographien darauf hin.

Jeder Fleck Erde an diesen Halden, der einigermaßen kulturfähig ist, wird bepflanzt und Oliven-, Feigen- und Mandelbäume gedeihen von der Talsohle weg bis hinauf zum Bergeskamm.

Dazwischen grünen kleine Äckerchen, auf welchen verschiedene Gemüsesorten gezogen werden. Die Arbeit kann man hinsichtlich der Beschwerlichkeit mit derjenigen des Wildheuens in den Schweizer Alpenabstürzen vergleichen.

Sehr interessant ist die Kultur der Weinrebe. Der Weinstock wird über die höchsten Bäume hinweg gezogen und der Stamm wächst vom Boden an bis zur Beindicke aus.

Die vorzüglichen Trauben kommen in großen Quantitäten nach Algier, wo sie als Dessert sehr beliebt sind.

Aber auch ein sehr guter Wein wird daraus gepreßt und die weißen kabylischen Flaschenweine sind in Algier fast mehr geschätzt als importierte.

Endlich nach vierstündiger Fahrt haben wir die 27 Kilometer von Tisi-Usu bis Fort National zurückgelegt; wir fahren durch das Tor der Befestigungsmauer, la porte d'Alger, und halten vor dem Postgebäude, 916 Meter über dem Meere.

Innerhalb der Mauer ist der Ort europäisch und ein den Verhältnissen entsprechend komfortabler Gasthof bietet eine nicht zu verachtende Bequemlichkeit nach der langen Fahrt.

Noch gestattet die Zeit einen kleinen Spaziergang vor dem Tore. In der Nähe des Fort liegt der Ort der Beni Ak'mon.

Von einer Kuppe aus überschaue ich einen großen Teil von Großkabylien, die auf ihren Berggräten lagernden Ortschaften der Beni Yenni, Beni Taurit-Mokrain, Beni Atelé. Fort National selbst liegt im Zentrum des Stammes der Beni Eraten, der 6000 Einwohner zählen soll.

Nach Norden hat man wieder einen weiten Niederblick auf die breiten im Hintergrund von dem Küstenatlas begrenzten Ebenen des Sebau, wo hauptsächlich Gerste und andere Getreidesorten gepflanzt werden und Wiesen= und Weideland vorherrscht.

In der Richtung nach Süden taucht der Blick in das tief eingeschnittene Tal Bor'ni, dessen Höhen von dem Stamme der Beni Yenni bewohnt werden. Der Bergstrom der es durchfließt, vereinigt sich mit dem schon erwähnten Ued Aissi.

Jenseits steigen, über einige Vorberge hinweg ragend, die Riesenwälle des Dschurdschura auf.

Die Sonne ist im Untergehen. Hell glitzern und glänzen die Eis= und Schneefelder der Gebirgskette, die Felspartien und Kämme leuchten in rötlichem Feuerscheine, dann gehen sie in zartes violett und schließlich in ein dunkles blau über, bis sie sich in der sinkenden Nacht in düsteren Massen mit scharfzackigen Konturen vom stern-funkelnden Himmel abheben.

Es ist Zeit das Nachtlager aufzusuchen. Ein gutes Bett bildet den einzigen Luxus meiner mit Backsteinen gepflasterten Schlafkammer; mehr bedarf es nicht für einen Reisenden, der ein gutes Tagewerk hinter sich hat.

Fort National wurde als Zentralfestung in Groß-kabylien nach der vollständigen Unterwerfung dieser Ge-birgskabylen im Jahre 1857 auf Befehl des General-gouverneurs, Marschall Randon, erbaut.

Während der großen Insurrektion dieser wilden Stämme im Jahre 1871 vertheidigten sich einige hundert Mobil-garden und Kolonisten gegen viele tausende der sie be-lagernden und bestürmenden Kabylen vom 16. April bis zum 16. Juni, an welchem Tage sie durch die Generäle Lallemand und Cerès befreit wurden.

In Ichéridène, einige Kilometer vom Fort National, erhebt sich auf einem Höhenplateau, welches die ganze Umgegend beherrscht, eine dem Andenken der 1871 Ge-fallenen geweihte Steinpyramide über den Gebeinen der Tapferen.

Von weitherum sichtbar bildet sie zugleich eine Warnung gegenüber allfälligen Insurrektionsgelüsten der kriegerischen, freiheitsliebenden Bergstämme.

Eine nochmalige Erhebung ist jedoch sehr zweifelhaft; denn nicht nur ist die französische Regierungsform eine sehr milde, sondern auch eine solche, die sich nur mit der Oberaufsicht und der Wahrung der Autorität und der Gerechtigkeit befaßt. Die Gemeindeverwaltungen werden den Einheimischen überlassen, Rechtswesen und Recht-

sprechung sind im Allgemeinen geordnet, das Eigentum
ist jedem Einzelnen besser garantiert und ebenso die persönliche Sicherheit, als in früheren Zeiten, als die Stämme
unter sich in beständiger blutiger Fehde lagen und Räuberbanden den Reisenden in den Wäldern auflauerten, so daß
sich die Leute öfters kaum auf ihre eigenen Pflanzungen
hinaus wagten; hauptsächlich aber auch werden die Großen
und Mächtigen im Lande, die Häupter der vornehmsten
Familien, zu Ehren und hohen Ämtern herangezogen,
so daß sie keine Lust mehr empfinden, eine Sonderrolle
als unabhängige Stammeshäuptlinge zu spielen.

Es wird kaum mehr vorkommen, daß diese Häupter
bei Sonnenaufgang von der höchsten Spitze ihrer Dörfer
aus mit weitschallender Stimme die auf den umliegenden
Kuppen und Gräten zerstreuten Ortschaften zum heiligen
Krieg gegen die Ungläubigen aufrufen; daß diese Kriegs-
rufe weiter schwellen wie die Wellen des Meeres von
Duar zu Duar,*) von Gurbi zu Gurbi**) und tausende
und abertausende von kampfbegierigen Kriegern besammeln,
ehe nur der Tag herum ist.

Sie sind nun schon viel zu sehr europanisiert und
speziell französisiert.

Gerne hätte ich noch per Maultier den beiden bedeutenden Ortschaften Ait-el-Hassen und Taurirt Mimun der
Beni Yenni einen Besuch abgestattet, denn dieselben erfreuen
sich eines gewissen Ruhmes wegen ihrer Industrie und
ihrem Kunstgewerbe.

---

*) Duar = kabylisches Bergdorf.
**) Gurbi = kabylisches Haus.

Währenddem die Frauen hübsche Wollen- und Baum-
wollengewebe auf ihren primitiven Posamentstühlen anfertigen und ohne anderes Handwerkszeug als ihre Hände
Tongefäße, Krüge, Tassen, Teller ꝛc. formen, die sie dann
mit leuchtenden Farben bemalen, sind die Männer wahre
Künstler in Silber- und Goldfiligranarbeiten, in der Anfertigung aller Art Schmuckgegenstände, wie Vorstecknadeln,
Arm-, Hals- und Gürtelbänder, Schnallen, gefaßte Juwelen,
Korallenschmuck u. s. w., auch falsches Geld sollen sie auf
das Vollendetste fabriziert haben.

Die rasiermesserscharfen Yatagans, nach dem Namen
des Stammes, der ursprünglich das Monopol für die
Anfertigung besaß, Flissa benannt, haben sie ebenfalls in
den Bereich ihrer Fabrikation einbezogen.

Leider fehlte mir die Zeit zu diesem Besuche und ich
muß mich daher auf obige Schilderung beschränken, die
ich, wie zum Teil auch früher schon angeführte Daten,
dem Guide-Joanne verdanke.

Übrigens hatte ich ja diese Artikel ganz in der Nähe
zur Hand; denn neben dem Gasthof war das Verkaufs-
magazin von Mohamed aït Salem vom Stamme Larbâ
Beni Eraten, wo man alles das kaufen kann.

Wer, der je den Fuß auf algerischen Boden setzte,
kennt nicht den runzligen alten Salem mit seinen paar
Härchen im Gesicht, diesen freundlichen Salem mit dem
europäischen Sammtkäppchen auf dem ehrwürdigen Haupt,
der keine Weltausstellung unbesucht vorübergehen läßt und
der Sie mit der liebenswürdigsten Miene über die Ohren
haut, wobei er Ihnen noch vorrechnet, wie viel er am
Artikel verliere.

Ich hatte eine Empfehlung an ihn von seinem in Biskra weilenden Neffen Messaud Ben Akly, ebenfalls ait Larbâ Beni Yenni, der mich dort mit Seide sein sollenden Tischdecken und Vorhängen geschröpft hatte, warum sollte mich der gute Onkel nicht auch noch schröpfen?

Dafür sind wir ja da und ich konnte es dem guten Alten wirklich nicht verargen.

Wenn ich einen Gegenstand glaubte genug herunter gemarktet zu haben, dann warf er mir ihn nur so ver- achtungsvoll hin, im wahren Sinne des Wortes weg- werfend, was mir zu bedeuten schien: „Betrachten Sie ihn als geschenkt." — In Algier, nicht an der Quelle wie hier, konnte ich nachher dasselbe Kleinod zur Hälfte des von mir bezahlten Preises erwerben.

Der gemütliche Alte; ich zürne ihm deswegen doch nicht.

El carossa war bereit; der Postwagen nach Michelet oder Ain Hamam, dem äußersten Vorposten nach dem Dschurdschura hin, 1200 Meter über dem Meere.

Man stelle sich ja nicht etwa eine Schweizer Alpen- post darunter vor. So nobel gaben wir es doch nicht. Wir begnügten uns mit einem ausrangierten leichten Stell- wagen und einem guten Maultiergespann.

Was soll ich nun noch weit und breit von dieser Fahrt schreiben?!

Wir trabten immer auf dem Bergeskamm dahin, so drei Stunden lang, durch Kabylendörfer, die ich schon vom Fort National aus bemerkt hatte, am Rande beinahe senkrechter, sich in unergründlich tiefen Schluchten verlierender Abhänge. Wo dieselben etwas weniger stotzig waren, tauchten wieder Kabylen in weiße Burnus gehüllt, aus der Tiefe auf. Einer hinter dem Andern die fast lotrechten Zickzackwege hinauf reitend, interessante Bilder, ungesuchte Romantik.

Der Weg wand und krümmte sich, bis unser Fuhrwerk vor der einzigen Restauration in Michelet anhielt, wo der Kabylenkutscher dankend das Trinkgeld in Empfang nahm.

Nun stand ich in nächster Nähe der Dschurdschura-Kette; etwa wie man vom Männlichen aus der Jungfrau gegenüber steht.

Da erhoben sie sich aus finsterem Abgrund die senkrechten Felsabstürze, die zerrissenen und durchfurchten kahlen Wände des Lella Krelidscha, des Akuker, des Pic Galland und wie sie alle heißen, diese stolzen, zackigen Pyramiden und schnee- und eisbedeckten Kuppen.

Gerade vor mir der Schellata-Paß, 1495 Meter hoch, und links daneben der 1765 Meter hohe Berg Tissibert, um deren Besitz im Jahre 1857 schwer gekämpft wurde.

Wenn man die himmelanstrebenden, steilen und trotzigen Felswälle von der andern Seite, von Beni Mansur im Sahel-Tal aus, von wo aus der Angriff erfolgte, noch im Auge hat, dann kann man sich das heiße Ringen in glühender afrikanischer Sommerhitze im Monat Juli, Stunden und Stunden lang unter dem scharfen Feuer der aus ihren langen Mucala sicher schießenden Kabylen bergan klimmend und kletternd, vorstellen.

Und als dann diese Fremdenlegionäre mit ausgetrocknetem Gaumen, unter Durstesqualen, ohne einen

Tropfen Wasser in der Nähe, zu Tode erschöpft die Spitze
des Tissibert erklommen hatten, da galt es erst noch ohne
Ruh' noch Rast das Plateau des Schellata-Passes zu
nehmen, welches von den Kabylen heiß verteidigt wurde
und die auf diesen Höhen liegenden, in kleine Festungen
umgewandelten Dörfer zu stürmen.

Hinter Steinwällen hervor und aus den mit Schieß-
scharten versehenen Häusern heraus blitzten den An-
greifenden das Feuer der Mucala entgegen und mancher
junge Soldat der Fremdenlegion färbte mit seinem Blute
das heiße Gestein des Schellata-Passes, bis endlich die
Kabylen aus ihren festen Stellungen verjagt, was erst
mit Unterstützung durch Gebirgsartillerie ermöglicht wurde,
und über die Flühe und Felswände hinunter in die
grausige Tiefe gesprengt worden waren.

Im Geiste sah ich sie gerade vor mir herüberklettern
in blutigem Ringen, rote Hosen und weiße Burnus durcheinander gewürfelt, während hinter meinem Rücken sich
die Hauptaktion, von Tisi-Usu her unter General MacMahon
gegen die Beni-Eraten und Ischerideniden abgespielt hatte,
wo die Zuaven und Linientruppen, Chasseurs à pied und
Turcos hauptsächlich eingriffen und beiseits infolge des
hartnäckigen Widerstandes eines tapferen Gegners schwere
Verluste, namentlich an Offizieren, zu verzeichnen waren.

Friede herrscht nun in diesen Bergen und statt Kriegs-
geschrei singt die junge Generation französische Lieder
und recitiert französische Poesien und Lafontaine'sche
Fabeln.

Algier. — Blida und die Schlucht Schiffa.

In dem Bahnzuge, der mich von Tisi-Usu nach Algier brachte, saß in derselben Abteilung mit mir ein reich gekleideter, hochgewachsener Kabyle, mit hellblondem Schnurr- und Knebelbart, von der Farbe, wie sie im friesischen Norddeutschland die Regel bildet und als flachshaarig bezeichnet wird.

Er war in französischer Unterhaltung mit einigen schwarzgekleideten, mit großen Ministerialmappen, des serviettes, bewaffneten Herren begriffen.

Da es nicht meine Gewohnheit ist zuzuhören, was andere Leute sich zu sagen haben, so gab ich auf den Inhalt des Gespräches keine Acht, indessen konnte ich doch hören, daß der Kabyle fließend und korrekt französisch sprach und aus einigen Äußerungen konnte ich entnehmen, daß sie Schulgenossen des collège in Algier gewesen waren.

Der Kabyle in seiner kleidsamen, faltenreichen und in schöner Farbenzusammensetzung angenehm auf das Auge wirkenden Tracht, gefiel mir entschieden besser als die schwarzbefrackten Herren in ihren steifen Stehkragen und Angströhren.

Daß die Kabylen und Araber sich äußerlich den Europäern nicht assimilieren, ist für jedermann, der noch etwas Sinn für Farbenharmonie, malerischen Faltenwurf und überhaupt eine dem Auge imponierende Kostümierung hat, selbstverständlich.

Es genügt übrigens, wenn der innerliche Mensch europäische Bildung und Kultur in sich aufnimmt und, falls er in dominierender Stellung steht, diese Ideen bei seinen Stammes= und Rassegenossen verbreitet und dadurch civilisatorisch wirkt.

Algier, die herrliche Stadt am Mittelmeer! Wie ein marmorenes Amphitheater baut sich diese Perle der afrikanischen Nordküste in seiner immergrünen Umrahnung vom Meere aus bis zur Bergeskuppe des Küstenhöhenzuges auf.

Vom Hafen aus stützt gewaltiges Mauerwerk die lange Quaistraße, das Boulevard de la République, welches gegen das Meer frei, auf der Stadtseite von einer Reihe von Prachtsbauten: Geschäftshäuser, Gasthöfe ꝛc. liniert wird. Zwei breite Straßen führen links und rechts längs dieser Stützmauern in mäßiger Steigung hinan und vermitteln den Verkehr zwischen Hafen und Stadt.

Den großstädtisch angelegten monumentalen Gebäulich= keiten vorgebaute hohe Arkaden, unter welchen es so an= genehm ist, sich bei einer Tasse Kaffee dem wohligen Nichtstun hinzugeben, schützen vor der Sonnenhitze.

In anmutiger Weise wird das Boulevard von zwei Plätzen mit hübschen Palmenanlagen, der Place de la République und der Place du gouvernement, unterbrochen. Auf ersterer gibt die Zuavenmusik öfters Konzerte zum Besten. Ich kann aber nicht behaupten, daß ich von der künstlerischen Exekution und der Wahl der Stücke besonders begeistert war. Vielleicht verstehe ich es auch nicht besser und immerhin bietet es doch für den einsamen Reisenden eine angenehme und anerkennenswerte Abwechslung und Unterhaltung.

Die Stadt ist in der Hauptsache europäisch und außerordentlich belebte Straßen ziehen sich der Länge nach hin.

Das buntbewegte Leben spielt sich auch hier unter den Arkaden ab, wo Prachtsläden zum Einkaufe einladen.

Die orientalische Stadt windet sich in engen, krummen Gäßchen den Berg hinan bis zur Kasba, in welcher einst die Paschas von Algier residiert haben.

Zu dieser Citadelle, in der nun eine französische Besatzung liegt, hat man freien Zutritt und von dem breiten Gange, welcher der Mauerzinne entlang läuft, genießt man einen wundervollen Niederblick über die Stadt hinweg zu dem von Schiffen wimmelnden Hafen und weit hinaus über das in unabsehbarer Ferne sich verlierende, in der Nähe tiefblaue und bis zum Horizont silbern glänzende Meer; von ostwärts grüßen im bläulichen Äther verschwindend die Zacken und Zinnen der Kabylengebirge.

In dem Haupthafen liegen die großen Ozeandampfer vor Anker und in einem besonderen Bassin ist beständig eine kleine Torpedoflottille für alle Eventualitäten bereit.

In der Kasba wird immer noch das Pavillonzimmer gezeigt, in welchem Hussein, der letzte Pascha von Algier, dem französischen Konsul Deval jenen denkwürdigen Fächerschlag versetzte, durch den er Reich und Herrschaft verlor.

Es liegt nun nicht in meiner Absicht, den Leser mit einer ausführlichen Beschreibung zu langweilen, umsoweniger als, wie schon erwähnt, Algier eine vorwiegend europäische Stadt ist.

Einige Einzelheiten und knappe Schilderungen mögen genügen.

Vom Meere aus gesehen zieht sich links das Quartier Mustapha supérieur in die Höhe, das feine Villenquartier, wo in prächtigen Parkanlagen, von üppiger Tropenflora umgeben, die Sommerpaläste des Gouverneur von Algier, der fremden Konsule, die vornehm gehaltenen Gasthöfe und — die Residenz der Exkönigin Ranavalo von Madagaskar dem bescheidenen Reisenden die Märchenwelt des Orientes vorzuzaubern scheinen.

Ich sage Sommerpaläste; der Ausdruck ist nicht ganz zutreffend, denn in Algier ist das ganze Jahr Sommer, oder doch mit Ausnahme einiger etwas stürmischer Monate ewiger Frühling, denn Myrthe und Lorbeer, Palme und Eucalyptus grünen zu allen Zeiten.

In diesen luftigen, geräumigen Gasthöfen, inmitten herrlicher Gartenanlagen, wo die exotische Fauna dominiert, ist ein gar trauliches Wohnen, und wenn gar noch ein gewandter, fein gebildeter und allzeit fröhlich aufgelegter Direktor, wie im Hôtel Saint George mein engerer Landsmann H. S. aus Basel mit seiner liebenswürdigen Gemahlin die Honneurs macht, so muß sich sogar der rabiateste Erdumstürmer so wohlig und heimelig fühlen, daß er nicht umhin kann, als seine Globe=Trotterei zu unterbrechen, um sich auf mehr oder weniger lange Zeit in diesem kleinen Paradies auf Erden häuslich einzunisten.

Was ich vom Hôtel St. George sagte, gilt übrigens ausnahmslos für alle dort im Grünen eingenisteten Gasthöfe und sogar in den kleineren, nur für wenige Familien eingerichteten Pensionen findet man einen traulichen, gemütlichen Komfort, von den großartigen Luxuskarawansereien, wo man alles findet, was zum Wohlbehagen des Menschen dient, gar nicht zu reden.

Eine Spazierfahrt über Mustapha supérieur und dann in Windungen dem Höhenweg entlang nach Kuba, Birmandreis, Birkadem durch die interessante, romantische Schlucht, genannt Ravin de la femme sauvage und den Jardin d'éssai wieder herunter ist entzückend und sehr lohnend für den Naturfreund wegen der Mannigfaltigkeit der Vegetation.

Derartige Spaziergänge in kleinere und weitere Entfernung verleihen Algier mit Recht den bezeichnenden Ehrentitel eines kleinen Paradieses auf Erden.

Der Jardin d'éssai, in welchem alle Pflanzen der afrikanischen französischen Kolonien, namentlich auch die verschiedenartigsten Baumarten, worunter wahre Riesenexemplare, gezogen werden, bietet dem Botaniker reichen Stoff zum Studium.

Ein Ausflug in die Schlucht der Schiffa bei Blida ist von Algier aus eine sehr interessante Spazierfahrt und insofern sehr empfehlenswert, als sie in einem Tag bequem gemacht werden kann.

Wir hatten eine kleine Reisegesellschaft gebildet, bestehend aus einem deutschen Hauptmann mit Gemahlin und Töchterchen, äußerst liebenswürdigen Leuten, dem nun den Lesern schon bekannten Wüstendoktor aus Kiel und dem zugewandten Ort aus der Schweiz.

Mit dem Bahnzuge fuhren wir durch die fruchtbare, im Süden durch den Atlas halbkreisförmig begrenzte

15

Ebene von Metidscha, an dem bedeutenden Ort Bu-Farik vorbei.

Überall prachtvolle Orangenpflanzungen.

Blida selbst liegt inmitten eines großen Gartens von regelmäßig angepflanzten Orangenbäumen, aus welchen namentlich die Früchte der rotgoldenen, herrlich süß schmeckenden kleinen Mandarinen herausleuchten. Abwechselnd mit dem saftig dunkelgrünen Ton dieser zierlichen Bäume, bilden die Olivenhaine mit ihrem silbern schimmernden, hellgrünen Blattwerk ein dem Auge wohl= tuendes Farbenspiel.

In Blida stiegen wir aus und gingen, nachdem wir uns ein Fuhrwerk gesichert hatten, auf Fourage aus, wobei wir Gelegenheit hatten, das regelmäßig gebaute Städtchen mit seinem quadratischen Marktplatz, seinen großen Infanterie= und Kavalleriekasernen zu besichtigen.

Die Avenue de la gare ist breit, mit Trottoirs ver= sehen und beidseits von schönen Schattenbäumen flankiert und zeigt, wie auch die vor den Festungswerken sich hin= ziehenden Boulevards. einen beinahe großstädtischen Anstrich.

Wir teilten uns nun in drei Proviantpatrouillen.

Die erste hatte für Wein, Gläser, Teller und Besteck zu sorgen, die zweite in einem Charcuterieladen zu fura= gieren und die dritte in einem Bäckerladen Brot, sowie in einer Spezereihandlung Käse, Eier, die noch schnell hart gesotten werden mußten, Salz und Pfeffer zu requi= rieren.

Statt mit Gutscheinen bezahlten wir bar und so steuerten die drei Detachements, schwer beladen wie marodierende türkische Baschi=Bozuks der Kutsche zu.

Bald lenkte der Kutscher durch ein herrliches Gelände von Orangen-, Citronen- und Olivenbäumen und rankenden Weinreben in eine weitklaffende Öffnung im kleinen Atlas.

Anfänglich bergansteigend, konnten wir bald auf der Straße, die in dem rechtsseitigen Berghang eingehauen ist, fast eben dahinrollen.

Zu unserer Linken rauschte der die Schlucht durchfließende Gebirgsstrom dahin, über welchem wir oft hundert Meter hoch zu schweben schienen. Oft auch war die Straße derart in den Absturz eingehauen, daß die Felswände sie überwölbten wie in der Schabet-el-Ahkra.

Die Schiffa-Schlucht zeigt übrigens nicht den majestätischen, grandiosen Charakter der Schabet-el-Ahkra. Wir begegnen hier, mit Ausnahme einiger Stellen, nicht den senkrechten himmelanstrebenden Felsenmauern, nicht den düstern, engen Klammern, den sich vorschiebenden stoßigen riesenhaften Querriegeln, die dem Reisenden den Schauer des Geheimnisvollen fühlbar machen.

Die Natur hat hier ein lieblicheres Schluchtenbild geschaffen.

Wohl steigen vom Flusse aus gewaltige, steile bis senkrechte Berghänge empor, aber es sind schöne, reich bewaldete grüne Berglehnen; wohl zieht sich die Straße in Windungen um Vorsprünge herum, aber dieselben sind von hübscher, rundlicher Form, und da sie mit grünem Buschwerk bekleidet sind und sich nicht gleich einem vollständigen Talabschluß vordrängen, sondern dem Auge den Weiterblick gestatten, so hat man das angenehme Gefühl, daß nichts die Weiterfahrt hindert und man nach jeder

Windung wieder ein neues hübsches Bild zu Gesicht be-
kommen wird.

Wo in der Flußtiefe ein freies Plätzchen, eine ebene
Lichtung sich zeigt, da hat auch die menschliche Kultur
Fuß gefaßt und einen Orangenhain hingezaubert, was den
Reiz der Szenerie in lieblichster Weise erhöht.

Nun fahren wir wieder um einen Vorsprung; in
einem scharfen spitzen Winkel schneidet die Straße eine
von der Höhe sich hernieder ziehende Wasserrinne, die sie
an der Spitze des Winkels auf einer Brücke über den
Gießbach überschreitet und sich dann wieder aus der Enge
heraus windend, weiter zieht, stundenlang in die Schlucht
hinein.

Im Hintergrund dieses Einschnittes, da wo der
„Ruisseau des Singes“ längs seines Sturzes eine herrliche Vegetation hervorgezaubert hat, steht ein guter Gasthof mit Stallungen, ein von Algier aus viel besuchter
Ausflugsort.

Vergeblich spähten wir im Ravin des Singes nach
Affen aus; es ließen sich keine blicken. Ich glaube, außer
der Affenschar, die ein französischer Offizier in allen
Stellungen, Posen, Sprüngen und Kletterkünsten im Gasthof an die Wand gepinselt hat, gibt es dort überhaupt
keine andern mehr.

Kultur und Verkehr haben sie verjagt, nur der Name
ist geblieben.

Und weiter geht die Fahrt, bis wir endlich bei einer
rechtwinkligen Abbiegung der Schlucht neben einer steinernen
Brücke, welche die Straße auf das andere Ufer hinüber-
führt, Halt machen, um unser Biwak aufzuschlagen und

unfere Feldküche einzurichten, was bald geschehen war, da
doch nur kalte Küche ferviert wurde.

Daß das Lagerleben fich recht gemütlich entwickelte,
war gerade dem Umstand zu verdanken, daß wir in einer
menschenleeren Gegend für uns allein abgeschlossen da
saßen.

Am Flußhange gelagert, auf Rasen und Felsplatten,
rings um uns herum die steilen, immer grünen Berghänge,
welche den durch die Abbiegung des Flußtales und die
Einmündung eines sich bergan ziehenden Seitentälchens
gebildeten kleinen Talkessel abschließen; weit und breit keine
Menschenseele, kein anderer Laut als das Rauschen der
unten über Steine fließenden und an Felsblöcken sich stau-
enden Schiffa und dazu das Gefühl, im Herzen des kleinen
Atlas zu sitzen, alles das übte einen eigentümlichen Reiz
auf uns aus und bewirkte eine Empfindung absoluter, un-
gebundener Freiheit, der Entledigung alles konventionellen
Zwanges.

Und darum ließen wir uns die kalte Küche in ge-
hobener, fröhlicher und ungezwungener Stimmung recht
wohl schmecken.

Frau Hauptmännin erfüllte in graziöser Weise die
Repräsentationspflichten der Dame des Hauses, tranchierte,
legte vor und ermunterte zum Zugreifen, wogegen der
Herr Hauptmann den Kellermeister herauskehrte und das
reinste Perpetuum mobile mit Einschenken war.

So verbrachten wir ein gemütliches Halbstündchen bei
diesem Pic-nic und wir säßen vielleicht heute noch dort,
wenn nicht der Kutscher zum Aufbruch gemahnt hätte,
indem er sorgenvoll auf eine schwarze Wolkenwand deutete

und auf den weiten Weg hinwies, den wir noch zurück-
zulegen hatten.

Auf der Hinfahrt hatte ich meinen Platz auf dem
Kutscherbock eingenommen, von wo aus ich einen prächtigen freien Ausblick genoß, währenddem die im Intérieur
unter einem Zeltdach zusammengepferchten Reisegefährten
nur einer sehr eingeschränkten Aussicht teilhaftig waren.

Ich riet daher dem Herrn Hauptmann, meinen Platz
einzunehmen, von wo aus er dann ebenfalls die schöne
Aussicht habe; ich aber kroch an seiner Statt ins Innere.

Es dauerte aber gar nicht lange, da brach eine wahre
afrikanische Sturmflut über uns herein.

Wir im Innern konnten uns durch vorgezogene Um-
hänge einigermaßen dagegen schützen; der übel beratene
Herr Hauptmann jedoch wurde so gründlich durchweicht,
wie während dem ganzen 70er Feldzug nie.

Vergeblich ersuchte ich ihn, mit mir zu tauschen; der
Offizier durfte doch nicht den Verweichlichten herauskehren
und mir war es eigentlich auch recht so.

Übrigens dauerte der Regen nicht länger, als bis
wir auf der Bahnstation Blida angelangt waren und
kaum hatten wir den Zug bestiegen, als auch die Sonne
sich wieder gnädig zeigte.

Bei klarblauem Himmel und glänzendem Sonnenschein
fuhren wir denn auch wieder in Algier ein und so endete
unser herrlicher Ausflug in die Schlucht der Schiffa in
schönster Harmonie von Natur- und Gemütsstimmung, die
dann noch des andern Tages bei einem Essen, das uns
das liebenswürdige Hauptmannsehepaar angeboten hatte,
in humoristischer fröhlicher Weise zum Ausdruck gelangte.

Wer in Algier weilt, darf nicht verfehlen, den Wochen-
markt in Maison carré, einige Kilometer östlich von Algier, zu besuchen.

Eine Straßenbahn führt nach diesem Ort und man
gelangt nach 1 Stunde Fahrt zum Ziel.

Auf dem Hauptplatz desselben entwickelt sich der be-
lebteste Jahrmarkt, den man sich denken kann. Markt-
buben wechseln ab mit Verkaufstischen und Feilbietenden,
die ihr Warenlager auf einem Teppich ausgebreitet haben.
Alles in Allem ein buntes Durcheinander europäischer
und arabischer Artikel; jeder kann sich hier nach seinem
Bedarf assortieren, die europäische Haushaltung, die bescheidene Hausfrau, der Arbeiter wie der Kabyle und der
Sohn der Wüste. Arabisch, französisch, spanisch und
italienisch schnattert und kreischt es kunterbunt durcheinander.

Das Interessanteste aber ist der auf einem weit ausgedehnten, von Bäumen beschatteten abgeschlossenen Raume
stattfindende Viehmarkt.

Da werden Maultiere, Esel und Pferde feilgeboten.
Auf der einen Seite harren Ochsen und Kühe ihres Schick-
sals, auf einer andern Trüppchen Ziegen, die durch um
die Hörner geschlungene Stricke zusammen gehalten werden.

Das flotteste jedoch und was jedes währschaften Metzger-
meisters Augen vor Vergnügen und Befriedigung aufleuchten machen würde, sind die Hammelheerden, welche
die Kabylen und Araber auf den Markt bringen.

In Trupps von 30 bis 60 Stücken und noch mehr,
immer abwechslungsweise der eine nach links, der andere
nach rechts gekehrt und durch einen lockeren Strick um
den Hals miteinander verbunden, stehen sie zweireihig da.

Jeder Eigentümer hat seinen Trupp durch ein farbiges Zeichen auf jedem Stück gekennzeichnet.

Und nun wird gehandelt, Trupp für Trupp auf einmal.

Bei einem Trupp besonders schöner fetter Tiere sind Käufer und Verkäufer nur noch wenig auseinander. Der Erstere bietet Fr. 38. —, der Letztere aber verlangt absolut Fr. 40. — per Stück.

Der Makler, ein gewaltiger Kerl in einer langen blauen Judenblouse, aber mit einem Turban um den Kopf, bringt sie endlich zusammen und nun werden sie losgelassen.

In wilden Sprüngen, vor Freude laut plärrend, jagen sie davon, einer setzt in kühnem Sprunge über den andern, bis sie endlich wieder vereinigt werden.

Wo die hinkommen gibt's saftige Hammelskoteletten. —
So kann der einsamste Wanderer einen kurzweiligen halben Tag erleben und befriedigt zur Stadt zurückkehren.

Ein anderes Bild. Unerfüllt gebliebene Hoffnungen und ein armseliges Ende.

Ein altes Ehepaar, das nach langen Jahren der Mühsale und der Arbeit sein Lebensende in einer alten fensterlosen Ruine beschließen muß.

Von dem äußersten westlichen Hafendamm aus hatte ich fern im Westen ein weit in das Meer springendes altes arabisches Fort erblickt, das mir des Besuches wert erschien.

Die Straßenbahn brachte mich von der Vorstadt Bab-el-Ued nach St. Eugène, an den europäischen und jüdischen Friedhöfen vorbei, welche wegen dem Reichtum

an exotischen Bäumen und den Rosensträuchen, in deren
Schatten die Gräber ruhen, den Reisenden zu einem
Stündchen der Erholung und beschaulicher Ruhe einladen.

Ein kleiner Spaziergang brachte mich zu einem alten
Türkenfort, das heutzutage als Kaserne für die Zollwache
dient.

Von dieser Seite her fand im Jahre 1830 der fran=
zösische Angriff auf Algier statt.

Und nun bog ich rechts ab auf einer langen steinigen
Landzunge, bis ich die Ruine erreichte, ein altes Sara=
zenenfort.

Durch die offene Pforte blickend, welche allein das
Tageslicht in das Innere gelangen ließ, sah ich einen
alten Mann, der an einer Strange Rohseide herum arbeitete.

Und dieses Innere!

Ein hohler, zusammenbröckelnder, ungegypster, düster=
brauner Rohbau, dessen verwittertes Gestein nur lose zu=
sammen zu halten schien und durch Risse und Löcher dem
Sturmwind freien Durchpaß gestattete. Kein Wunder,
daß die alten Leutchen von Rheumatismen heimgesucht
wurden.

In einer Ecke stand ein Bett und daneben saß auf
einem Schemel ein altes zitterndes Weib mit sanftem
Gesichtsausdruck, welches so schrecklich an rheumatischen
Schmerzen litt, daß ihr alter Gemahl sie mühsam in's
Bett heben mußte.

In einer anderen Ecke die primitive Feuerstätte, zwei
aus dem herumliegenden Mauerstein erstellte niedere
Mäuerchen, kein Rauchfang; ist übrigens auch nicht nötig,
da der Rauch überall durch das Mauerwerk entweichen

kann. Von Herd keine Spur, etwas Kochgeschirr, dann noch ein roher, wackliger Tisch, eine morsche Kleiderkiste und das war alles; die ganze Wohnung ein ruinenhaftes, fensterloses Loch.

Der Alte ließ mich durch die Hintertüre auf ein erhöhtes Kastell, von wo aus sich mir ein überwältigender Anblick bot.

Ringsum das brandende Meer, dessen Wogen sich schäumend und zischend an den vorstehenden Felsen und Riffen brechen; landeinwärts das sich bergantürmende Algier und der grünbewaldete Höhenzug und auf hohem Felsenplateau tronend die stolze Basilica Notre Dame d'Alger.

Auf dem Meere aus- und einfahrende Dampfer, und sich kreuzende weiße Segel, von den durch Bilder bekannten großen, vielfach geflickten dreieckigen Piratensegeln bis zu denjenigen der Rennjacht, welche mit ihrer Fülle das Schifflein in die Fluten hinein zu drücken scheinen.

Stunden- und stundenlang hätte man hier sitzen und sinnen mögen. Und als Gegenstück zu all der Schönheit und Lieblichkeit der Natur, der Rückblick in die schauerliche Wohnstätte, zu den beiden alten, weltvergessenen Leutchen, der von Krankheit gekrümmten und gebrochenen Greisin.

Den Alten entlohnte ich mit einem Trinkgeld und empfahl ihm, seine Frau in ein Spital überführen zu lassen, wo ihr doch wohler sei, als auf dem alten wackeligen Schemel, der ihren schmerzenden Gliedern auch gar kein Ruheplätzchen bot.

Trinkgelder von seltenen fremden Besuchern wird wohl nebst dem kärglichen Lohn für seine Beschäftigung mit Rohseide sein einziger Verdienst sein.

„Ja, vor vierzig Jahren, als ich mit meiner Alten gesund und kräftig aus dem Elsaß herüber kam, da hatten wir schöneren Verdienst und hofften auf einen sorgenfreien Lebensabend.

Jetzt werden wir denselben wohl in dieser Ruine beschließen müssen, selber alte wacklige Ruinen, und unser Elsaß werden wir nie wiedersehen. —"

Wieder ein anderes Bild.

Auf einem Quaidamm sammelten sich eng in einander gedrängt tausende von Arabern und Kabylen aus allen Provinzen und den entlegensten Oasen Algiers; Greise und junge Leute, gut gekleidete und in schäbige Burnus eingehüllte oder wie die M'zabiten in bunt gestreifte Kaftan gekleidet, so daß sie aussahen, als ob sie ein Zebra- oder Tigerfell um sich geworfen hätten.

Es waren Mekkapilger.

Viele Hunderte standen und kauerten da bei einander und drängten sich nach den Booten, die sie an Bord des Dampfers bringen sollten.

Jeder wollte der erste sein, um sich für die lange Überfahrt einen guten Platz zu sichern, wenn man von diesem wie Pickelhäringe zusammengestauten Chaos von „gut" überhaupt noch reden darf.

In Matten und Binsenkörben trugen sie ihren Proviant, Datteln, Orangen, und kleine Reiseutensilien, viele schleppten Decken und Tongefäße mit sich.

Das war ein Geschrei und Gestikulieren, um sich Plätze im Boot zu erobern; die Einen drängten vorwärts, die Andern hielten zurück, um nicht ins Wasser gestoßen zu

Währenddem sich die Araberinnen, an ihrer Spitze einstweilen immer noch la belle Fatma, in ihren gewöhnlichen Bauchtänzen zeigen, excellieren Syrierinnen, oder besser gesagt syrische Jüdinnen, in rasendem Wirbeltanz, wobei sie von Guitaren und Riesenmandolinen und näselndem Gesang begleitet, zu immer schneller und schnellerem Herumwirbeln und kühnen Sprüngen angefeuert werden.

Jetzt erscheinen die Aissaua. Auf ihren enormen, siebförmigen Handtrommeln machen sie einen betäubenden Lärm.

Nun setzen sie sich nieder, der Hauptchef entzündet vor sich ein Kohlenfeuer und streut betäubende oder doch wenigstens nervenaufregende Essenzen über die Glut.

Die ausübenden Künstler kauern in weitem Kreise herum. Plötzlich, inmitten des Spektakels, springt Einer auf, kniet vor dem Kohlenbecken nieder und wirft unter wüstem Gebrüll den Kopf über der parfümierten Glut auf und nieder.

Nachdem er sich genügend begeistert hat, rennt er im Kreise herum, immer rascher und lärmender erschallen die dumpf tönenden Handtrommeln, rasender wird das Tempo und nun beginnt der Künstler seine Vorstellung, scheinbar in höchstem Paroxismus.

Der Eine ißt das Blatt des Kaktus mit den zollangen spitzen Stacheln, sodaß ihm der rote Saft zum Mund heraus läuft, denn die Dornen zerstechen ihm Zunge und Lippen. Hierauf zerkaut er die Scherben eines Lampenglases, einer Flasche 2c.

Nach ihm kommt ein anderer, der nach dem gleichen Manöver vor dem Kohlenbecken, sich lange, dicke Nadeln durch die Wangen und die Zunge steckt und mit einer solchen Nadel den Augapfel teilweise aus der Höhle hebt.

Nur unbedeutende Blutspuren bleiben auf den wunden Stellen nach dem Herausziehen der Nadeln zurück.

Wieder Einer hämmert sich mit einem Stein einen dicken Nagel in die Hirnschale und zwar so fest, daß man Mühe hat, denselben wieder herauszuziehen. Jedenfalls ist das Löchlein in der Schädelnaht lange vorher präpariert worden, so daß durch das Einzwängen des Nagels in das= selbe nur ein unbedeutendes Auseinandertreiben der Knochen stattfindet. Gewohnheit, nichts als Gewohnheit.

Nun kommt ein Kerl, der sich mit nackten Füßen auf einen von zwei Kameraden gehaltenen, scharf geschliffenen Araber Yatagan schwingt und frei auf der Schneide stehen bleibt.

Der Mensch muß Fußsohlen haben wie ein Kamel.

Den Schluß bilden die Schlangenbändiger und Skor= pionenfresser. In letzterer Eigenschaft präsentierte sich ein hübsches, blondhaariges, rotwangiges Bürschchen, dessen langer Lockenschopf auf und nieder wallte, als er seine Ceremonien vor dem Kohlenbecken machte.

Zuerst ließ er den Skorpion, allerdings nur ein junges Exemplar, herumrennen, indem er ihn mit der Hand diri= gierte, wobei das Insekt drohend den giftigen Stachel= schwanz emporstreckte.

Ein Schlag mit der Hand, das Tier ist tot und ein Schluck befördert es in den Magen des Jünglings. Wir alle wünschten wohl gespeist zu haben.

Einmal kann man als Neuling den Rummel ansehen, dann aber hat man genug.

Das Vernünftigste bei der ganzen Geschichte ist der gute Mokka, der, arabisch präpariert, serviert wurde.

Das Leben in der Stadt Algier ist durchaus nicht teuer, abgesehen von den Wohnungen.

In einigen bekannten Restaurants wird ein ordentliches Diner, bestehend aus 3 Gängen und inklusive Wein, zu Fr. 2. 50 serviert.

Steigt man die enge Gasse neben der Moschee de la Pêcherie, die rue de la Pêcherie, die nach dem Hafen führt, hinunter, so kann man in den kleinen Restaurationen längs derselben ein sehr gutes Frühstück genießen.

Empfehlenswert sind namentlich die frischen Meerprodukte, Austern, Hummer und Fische aller Art, die mit Flaschenwein aus Kabylien begossen, den melancholischsten Reisenden in eine wohlige, weltfreundliche Stimmung versetzen dürften.

So kann sich Jedermann um sehr mäßigen Preis für den ganzen Tag einen guten Humor kaufen.

Und so begab ich mich denn auch nach einem schmackhaften Frühstück, das ich in Gesellschaft eines Londoner Rechtsanwaltes genossen hatte, wohl genährt und fröhlichen Mutes an Bord des Dampfers, der mich nach Marseille hinüber bringen sollte.

Es stellte sich heraus, daß dieser Herr zufälligerweise mein Kabinengenosse war. Da er sich jedoch durch einen Unfall eine Verwundung am Fuße zugezogen hatte, die ihn am Gehen hinderte, so mochte er nicht die Schiffstreppe hinunter steigen, sondern zog es vor, sich im

Speisesaal niederzulassen, wo er das Bein auf dem Sofa ausstrecken konnte und ärztliche Pflege in der Nähe hatte.

So bewohnte ich die Kabine für mich allein; hatte es aber auch dringend nötig, wie sich in der Folge zeigen wird.

Ungemütliche Rückfahrt nach Marseille.

Um 12 Uhr Mittags ertönte das Signal zur Abfahrt. Langsam dampfte das Boot aus dem Hafen und ließ uns noch einmal in voller Muse das herrliche Panorama betrachten, bis endlich nur noch wie leichte bläuliche Schatten die Küstengebirge sichtbar waren, aus welchen lange noch das blendend weiße Amphitheater von Algier herausglänzte. Allmählich aber versank eines nach dem andern, wie eine zauberhafte Fata morgana, am Meeres-horizont.

Von Westen her hatte sich inzwischen eine drohende Wolkenwand heraufgezogen, das Meer begann sich zu kräuseln, ein Windstoß fegte darüber her und bald beschlich mich eine bange Ahnung, ein unsagbares Gefühl.

Da plötzlich erhob sich eine gewaltige Windsbraut, das Schiff legte sich auf die Seite und stürmende Wogenmassen, von der Wut des Sturmwindes aufgewühlt, donnerten gegen die Schiffsflanken.

Und immer stärker sauste uns der tückische Nordwester um die Ohren, immer heftiger pochten die Wogen an die Flanken des Schiffes und schlugen in gewaltigem Schwunge über Bord.

16

Da trat plötzlich ein Ereignis ein, das mir schon von der Überfahrt nach Philippeville her in unangenehmer Erinnerung geblieben war.

Unter der Schädeldecke machte sich ein unbehagliches Gefühl wahrnehmbar, gerade als ob sich das Hirn in einen Wasserstandsanzeiger verwandelt hätte, der beständig auf und nieder fluktuiert.

Dann beginnt es im Zentrum des Menschen zu kreisen, als ob das Innere eines verstopften Vulkanes zur Eruption dränge.

Hierauf ziehen sich in der Speiseröhre Ringe immer höher und immer enger aufeinander folgend hinan, die man mit äußerster Muskelanstrengung immer wieder hinunter zu würgen sucht.

So geht der Kampf mit seinem eigenen Ich eine Weile fort, bis sich unter dem fortwährenden Drang nach oben endlich der Krater öffnet und — die Eruption ist da. —

Seht nun diesen Menschen, wie er mit schlotternden Knieen dem Deck entlang wankt. Gleich als müßte er auf einer Achsel eine ungeheure Kiste balancieren, schlenkert er bald nach links, bald nach rechts. Ein Glück für ihn, daß eine brusthohe Wandung über das Deck hinausragt und daß diese Wandung solid genug ist, um unter seinem Anprall nicht nachzugeben.

Endlich hat er die Kajütentreppe erreicht. — Gerettet! Nein, noch nicht. In gefälliger Weise kommt ihm die Treppe von unten herauf entgegen. Er will den Fuß darauf setzen; da plötzlich verschwindet sie wie in einer Versenkung und er steht vor einem gähnenden Abgrund.

Nach einer Weile wird sie wieder sichtbar und so
wiederholt sich das tückische Spiel zum unsäglichen Jammer
des gequälten Menschen.

Das Schiff rollt auch gar zu fürchterlich!

Endlich ein kühner Entschluß und drunten sitzt er, ehe
er sich dessen nur bewußt ist.

Jetzt aber ein neues Seiltänzerkunststück.

Nun muß er den engen Schiffsgang entlang, um
seine Kabine aufzusuchen. Wie eine Billardkugel von den
Banden abprallt, so karamboliert er von einer Wand zur
andern; aber die Banden sind auch gar so hart!

Da öffnet sich ein Loch; es ist der Kabineneingang.
Krampfhaft klammert er sich eine Weile an den Thür=
pfosten fest; dann, wie ein blutgieriger Tiger sich auf
seine Beute stürzt, ein Sprung — und er liegt erschöpft
auf dem Kanapee, wo er sich mit den Füßen anstemmt,
mit den Fingern einkrallt.

Aber auch hier ist seines Bleibens nicht, denn das
Schiff rollt gar so fürchterlich und die Kräfte schwinden.
Im nächsten Augenblick wird er in die Kabine hinaus=
geschleudert.

Dort drüben winkt das Bett. Ja, wenn es nur etwas
näher wäre; aber es ist allermindestens anderthalb Meter
weit weg.

Da — wie ein Pfeil ward abgeschossen — der Kopf
prallt zwar gegen die Kabinenwand, aber das thut nichts;
sie ist solid gebaut und es gibt keine Reparaturkosten zu
bezahlen.

Nun liegt er da, lang ausgestreckt in dem engen
Schragen; bald hin und her gewiegt wie ein kleines Kind;

bald steht er auf den Füßen, bald macht er einen Hoch-
stand auf dem Kopf, je nachdem der Dampfer rouliert
oder tangiert.

Und dabei ist ihm ganz unsäglich elend. —

Ein derart mißhandelter Mensch war ich. — Welches
Kapitalverbrechen ich mit einer so unmenschlichen Strafe
abbüßen mußte, ist mir heute noch ein Rätsel.

Langsam senkt sich die Nacht hernieder. Wie Kanonendonner schlagen die Wogen an die Schiffswand und geben
sich verzweifelte Mühe, das runde Schiffsfensterchen ein-
zuschlagen.

Der einsame Mann zählt: eins! zwei! drei! jetzt muß
sie wieder kommen: bumm!!! Ach, mein Kopf! —
Und so weiter, weiter, weiter!

Alles in Allem aber genießt er ein Monstre-Orchester-
Konzert, das dem taubsten Menschen Ohrensausen ver-
ursachen könnte.

Gleich als ob das Finale von zehn Wagnerouvertüren
auf einmal abgespielt würde, pfiff, gellte, heulte und fidelte
es um Masten, Raaen, Schornsteine und die Schiffsflanken
des Dampfers.

Neben mir in dem Verschlag, welcher die Waschbecken,
Flaschen, Gläser und anderes Geschirr birgt, kesselte es
unaufhörlich. Das war die Blechmusik.

Dazu ächzten, stöhnten und quietschten die Kabinen-
wände und die Bettstelle über mir in den jammervollsten
Tönen, als ob alles aus Fugen und Leim gehen müßte,
und als ob sie dazu bestimmt wären, dem sündigen
Menschenkinde die Posaunen und Pauken des Weltgerichtes

einbringlich zu vergegenwärtigen, donnerten die Wogen mit
immer stärkerer Wucht gegen die Schiffswandungen.

Plötzlich ein Mark und Bein erschütterndes Geknarre
wie von einer „Riesenrätschere", welches die ganze Kabine
in die unangenehmste Vibration versetzt. Es war die
Schiffsschraube, welche, aus den Wellen gehoben, in freier
Luft herumschwirrte und jedenfalls den Brummbaß zur
ganzen Musik zu spielen berufen war.

In regelmäßigem Rythmus schlug dazu die Kabinen=
türe den Takt gegen meine Bettstelle. Sie durfte nicht
geschlossen werden, sondern wurde nur an der oberen
Bettstatt eingehackt, damit man im Falle einer Katastrophe
rascher hinaus und auf das Deck gelangen konnte —
eine nette Perspektive! —

Ein Extrakonzert eigentümlicher Art, gewissermaßen
Musik auf Holz und Stroh, spielte sich über meinem
Kopfe ab. Es war ein fortwährendes, in gleichmäßigen
Intervallen sich wiederholendes Geklapper, das ich lange
nicht enträtseln konnte, bis bei Anlaß einer besonders
heftigen Schwankung der aus vielen Holzplättchen zusam=
mengesetzte breite Rettungsgürtel hinunterflog, worauf
dieser Teil des Konzertes zum Schweigen kam.

Während einer Pause, wie sie auch bei anderen Kon=
zertstücken, Symphonicen ꝛc. vorkommen, wurde meine
Aufmerksamkeit durch ein liebliches Geplätscher unter mir
gefesselt. Mit äußerster Willenskraft streckte ich mein
Haupt über die Bettstatt hinaus und genoß bald den
eigenartigen Anblick eines kleinen Meeres in Taschenformat,
das auf dem Fußboden hin und her wogte und eine
regelmäßige Ebbe und Flut en miniature veranschaulichte.

Und darauf gondelten in schönster Eintracht meine neuen Bottinen, Kiel nach oben, mein nagelneuer Reisehut, Socken, Unterkleider, kurz alles, was ich vorher so sorgsam auf dem Sofa ausgebreitet hatte. Ein nettes Stilleben. —

Nicht lange dauerte es, so flog aus dem oberen Stockwerk, wo ich sie wohl versorgt wähnte, mein Hemd, Überzieher, Regenschirm, das Handköfferchen, welches sich natürlich sofort öffnete und entleerte, sodaß nun auch noch meine ganze Ersatzwäsche stillvergnügt in dem Fröschenweiher herumschwamm und schließlich auch noch der schon erwähnte Rettungsgürtel hinunter in die Flut.

Um das Idyll zu vervollständigen, fehlte nun nur noch, daß ich mich selbst als „Nökk im Weiher" mitten hinein gesetzt und ein Tremolosolo zum Besten gegeben hätte.

Ich machte auch die verzweifeltsten Anstrengungen, hinaus zu klettern, um Ordnung zu schaffen, mußte aber bald davon abstehen, weil ich es bei meiner Wohlbeleibtheit und in Anbetracht meines geschwächten Zustandes nicht riskieren durfte, in wuchtigem Katapultenwurf von Kabinenwand zu Kabinenwand geschleudert zu werden.

Übrigens sah es auch gar nicht so appetitlich aus, um mit nackten Füßen in diese Sauce hinunter zu steigen und so ergab ich mich denn in mein Kismet, in der Hoffnung, es werde wohl gelegentlich ein Schiffswärter seines Amtes walten und nachforschen, ob da unten noch Spuren von Leben vorhanden seien.

Und immer strömte neues Gewässer herbei, das aus dem total unter Wasser gesetzten Speisesaal und Damensalon einen Abfluß in die Kabinen suchte.

Mittlerweile hatte das Riefenkonzert von neuem ein=
gefetzt; es wurden neue Register gezogen, schriller quitschten
die Fideln, greller gellten die Pfeifen, blecherner kesselten
die Becken, wuchtiger dröhnten die Posaunen und nun
raste es allegro con fuoco. —

So ging es die liebe, lange Nacht hindurch.

Das stille Drama, welches in jener furchtbaren Nacht
in meiner Kabine von einer einzigen handelnden Person
gespielt wurde, durch alle Phasen hindurch zu schildern
und auszumalen, das überlasse ich der Phantasie des
hohnlächelnden Lesers. —

Der Titel heißt: Seekrankheit.

Die Nacht ging herum, der Tag ging vorüber und
wieder wurde es Nacht. Wir hätten schon seit Mittag
im Hafen von Marseille sein sollen.

Endlich streckte ein mitleidiges Wesen den Kopf herein,
indem es sich krampfhaft an den Türpfosten festklammerte.

„Wo sind wir?" frage ich.

„Wir nähern uns Marseille", lautete die Antwort,
„der Kapitän zweifelt jedoch daran, einfahren zu können.
Wenn es uns nur nicht ergeht wie der „Russie"?!"

Der „Russie", welche einige Wochen vorher an den
Klippen der Bouches-du-Rhône gescheitert war und auf
welcher während einem ganzen Tage Passagiere und Mann=
schaft in äußerster Todesgefahr schwebten, bis sie endlich
unter unsäglichen Anstrengungen gerettet werden konnten.

„Meinetwegen", brumme ich und drehe mich auf die
andere Seite.

Plötzlich gleitet der Dampfer sanfter dahin, kein Wellen-
schlag ist hörbar, leiser arbeitet die Maschine, auf Deck erschallen Kommandorufe und über meinem Haupte entsteht
ein Getrampel von unzähligen Schritten; es wird lebendig,
wo bisher nur Todesschweigen herrschte.

Der Dampfer scheint trotz Nacht und Sturm die Ein-
fahrt in den Hafen erzwungen zu haben.

Während vollen dreißig Stunden hatte ich mich mit
allen zehn Fingern in das Eisengeflecht, das der Matratze
als Unterlage dient, einkrallen müssen, um nicht heraus-
geschleudert zu werden.

Hoch und heilig habe ich damals geschworen, keine
Seereise und in erster Linie keine Reise mehr nach Algier
zu unternehmen, es sei denn auf Umwegen mit möglichst
wenig Meerfahrt; oder aber abzuwarten, bis das schon
lange gesuchte, einzig und allein ächte, absolut probate
Mittel gegen Seekrankheit entdeckt sein wird.

Ob man es aber trotz Eidschwur auch ohne das Mittel
doch nicht wieder tut??!

Der Mensch vergißt ja so leicht und es ist so wunderbar
schön dort drüben. —

Mit einem Seufzer der Erleichterung klettere ich aus
meinem engen Käfig, packe mein schwimmendes Inventar,
so weit ich es nicht notwendig gebrauchen mußte, in
schönster Ordnung (wenigstens schien es mir damals so)
in mein Köfferchen, schlüpfe in die durchnäßte, schlampige
Fußbekleidung und tauche endlich an die Oberfläche, wo
ich mit erstaunten Blicken in den Korridoren und im
großen Speisesaal hunderte von Personen, Männlein,

Weiblein und Kinder, gewahre, von deren Dasein ich bisher keine Ahnung hatte.

Da sitzen sie, mit langgezogenen Gesichtern, schlaffen Wangen und hängenden Gliedmaßen, des Momentes gewärtig, da sie aussteigen dürfen.

Auch meinen englischen Advokaten erblicke ich noch an derselben Stelle, auf welche wir ihn bei der Abfahrt von Algier hingesetzt hatten.

Er hatte die ganze Zeit auf dem Sofa des Speisesaales, wo er sein Bein mit dem kranken Fuß ausstrecken konnte, zugebracht.

„Wie ist es Ihnen denn während dieser schrecklichen Zeit ergangen"? fragte ich.

„O, very well, rolling with the waves", (sehr gut; mit den Wogen rollend), lachte er mir entgegen. „Ich habe vorzüglich gespeist und im Überfluß; denn der Kapitän und ich saßen immer allein an der table d'hôte. Kein anderer Passagier ließ sich blicken und so hatte ich unter den besten Bissen die Auswahl."

Der Glückliche! —

Die Anker rasseln hernieder, der Landungssteg wird an Bord gezogen und eilenden Fußes verlasse ich die ungastliche Stätte, indem ich unwillkürlich an einem fort die Stelle aus dem Ring des Polykrates „Hier wendet sich der Gast mit Grausen" vor mich her brumme.

Ohne mich weiter um das Schicksal meines Reisekoffers zu bekümmern, denn es ist schon nahe an Mitternacht, steure ich in einem Fiaker dem Gasthof zu.

Wie wohl fühlte ich mich in dem geräumigen weichen Gasthofbett; aber dennoch verfolgten mich noch im Traume die akrobatischen Übungen, welche ich in dem engen Schragen der Schiffskabine zu erdulden gehabt hatte und am andern Morgen hatte ich das Gefühl, als ob ich die ganze Nacht auf dem Kopf gestanden wäre:

„rolling with the waves“.